Gaston Miron

L'homme rapaillé

voix

FRANÇOIS MASPERO

COLLECTION « VOIX »
dirigée par Fanchita Gonzalez Batlle

Gaston Miron

L'homme rapaillé

FRANÇOIS MASPERO
PARIS
1981

Liminaire

L'homme rapaillé

Pour Emmanuelle

J'ai fait de plus loin que moi un voyage abracadabrant
il y a longtemps que je ne m'étais pas revu
me voici en moi comme un homme dans une maison
qui s'est faite en son absence
je te salue, silence

je ne suis plus revenu pour revenir
je suis arrivé à ce qui commence

Influences

1. Deux sangs

Mer jours

Mer jours
et de harpes sans oiseaux

pour de secrètes marées disparues
dans l'anfractuosité des silences
tu retisses à rebours
les souffles à mon cœur capiteux

pour un mystère qui t'ensemence
dans le multiple dense des étreintes
tu auscultes toujours
d'une sonde à l'étoile
ta longue désespérance

Mon bel amour

Mon bel amour navigateur
mains ouvertes sur les songes
tu sais la carte de mon cœur
les jeux qui te prolongent
et la lumière chantée de ton âme

qui ne devine ensemble
tout le silence les yeux poreux
ce qu'il nous faut traverser le pied secret
ce qu'il nous faut écouter
l'oreille comme un coquillage
dans quel pays du son bleu
amour émoi dans l'octave du don

sur la jetée de la nuit
je saurai ma présente
d'un vœu à l'azur ton mystère
déchiré d'un espace rouge-gorge

Soir tourmente

La pluie bafouille aux vitres
et soudain ça te prend
de courir dans tes pas plus loin
pour fuir la main sur nous

tu perds tes yeux dans les autres
ton corps est une idée fixe
ton âme est un caillot au centre du front
ta vie refoule dans son amphore
et tu meurs
tu meurs à petites lampées sous tes semelles

ton sang
ton sang rouge parmi les miroirs brisés

Ce corps noueux

Ce corps noueux
ce regard brisé
ce visage érodé
ce feu aux cheveux

ces mots dehors

c'est toi, toi et toi
et la blessure
inlassable des rêves
dans tes pas futurs

Vérité irréductible

O ton visage comme un nénuphar flottant
et le temps c'est le chœur des aulnes
à regretter continu sur des rives insensées

ton âme est quelque part
sur les collines de chair oubliée
et le temps c'est mon soulier
à creuser contre le ciel

à vivre mon angoisse poudrait
éclairait l'obscure arête de ma transparence
le temps c'est ton visage à aimer blanc

dans cette ville qui m'a jeté ses mauvais sorts
ton passage dure encore creuset de feu
le temps c'est une ligne droite et mourante
de mon œil à l'inespéré

Chanson

Cortèges des semaines
les voix qui chantent faux
le jargon de nos peines
les amours mécanos

la jarre est dans l'eau morte
les espoirs verrouillés
les secrets sans escortes
et les corps lézardés

sept jours comme des flûtes
les balcons qui colportent
le front las qui se bute
au seuil muet des portes

sur une grande artère
s'en vont les mains fanées
le soupir des années
et l'orgue de misère...

Petite suite en lest

Jadis
enfant
mon poing révolté
a bondi dans l'espace
il a sifflé dans les arcs-en-ciel

aérolithe
l'ai retrouvé ce matin
ne sais plus dans quelle plaine

petite semaine à dent grise
sept poteaux faire le tour
sept cartes faire jouer
petite semaine pleine de poches de néant
le cœur a des arrêts brusques mais savants

petite vie ma vie
petite vie des minutes pareilles
en queue leu leu
comme ça de suite
comme une caravane de chenilles de suite
comme des pieux de clôture de suite

petite vie ma vie
enclose en la grand'ville
parmi les pas sur les pavés
roulée dans le courant en rond

grise à éternuer

15

aujourd'hui debout droit
demain couché brisé
je mourrai d'avoir été le même
je serai une ligne à même la terre
n'ayant plus d'ombre
ô mort
pays possible

car de l'index j'ai tracé des lignes
droites obliques ou courbes
(débarrassons-nous des cercles)
sur le sable dans l'argile
dans le ciel sur toutes choses

que savez-vous que je sais
les parcs étendus visités
les avenues connues
les royaumes fondés
avec quel poids au cœur

attente des pans de murs
attente des pans de ciels
attente des yeux tissés de tous les regards

auscultation du temps
patience de l'essentiel

car il faut se pencher du haut de l'espace
appuyer sa tempe contre l'espace
et de peur que tout se brouille
déplacer du silence

16

la lune feuillette dans l'espace

mais à l'orée de la nuit navrée
comme à l'orée du jour
qu'y a-t-il
quoi se tient là

Cantique des horizons
(sur un ton faussement valéryen)

Ne vois-tu pas ma blonde
quelque petit bateau
courir les hautes eaux
les légendes du monde

quelque petit bateau
qui nargue les ondines
dans le vent de matines
sur la ligne des eaux

et que n'as-tu ô chère
la vive déraison
de créer ta vision
d'en humer les chimères

la vive déraison
de tendre ta chair nue
aux lunes inconnues
du seuil de ta vision

ô berceuse ma mie
avec moi t'accordant
dans l'haleine du temps
et d'espace magie

que ne souffres-tu pas
aux souffles des partances
d'échapper loin là-bas
le poids de ta naissance

18

Corolles ô fleur
(sur un ton faussement mallarméen)

Corolles ô fleur ton sourire
ouvertes échappent des abeilles d'or
reviennent les soirs bruns ivres
Infante des jeux du sort
née la beauté aux arches de tes rives
nos yeux marée sur ton corps
enfante pour eux les perles de vivre

Pour retrouver le monde et l'amour

Nous partirons de nuit pour l'aube des mystères
et tu ne verras plus les maisons et les terres
et ne sachant plus rien des anciennes rancœurs
des détresses d'hier, des jungles de la peur
tu sauras en chemin tout ce que je te donne
tu seras contre moi celle qui s'abandonne

nous passerons très haut par-dessus les clameurs
et tu ne vivras plus de perfides rumeurs
et loin des profiteurs, des lieux de pestilence
tu entendras parler les mages du silence
alors tu connaîtras la musique à tes pas
et te revêtiront les neiges des sagas

nous ne serons pas seuls à faire le voyage
d'autres nous croiseront parmi les paysages
comme nous, invités de ce jour qui naîtra
nous devons les chérir d'un amour jamais las
eux aussi, révoltés, vivant dans les savanes
répondent à l'appel secret des caravanes

quand nous avancerons sur l'étale de mer
je te ferai goûter à la pulpe de l'air
et nous libérerons nos joies de leur tourmente
de leur perte nos mains, nos regards de leurs pentes
des moissons de fruits mûrs pencheront dans ton cœur
dans ton corps s'épandront d'incessantes douceurs
après le temps passé dans l'étrange et l'austère
on nous accueillera les bras dans la lumière
l'espace ayant livré des paumes du sommeil
la place des matins que nourrit le soleil
ô monde insoupçonné, uni, sans dissidence
te faisant échapper des cris d'incontinence

20

nouvelle-née, amour, nous n'aurons pas trahi
nous aurons retrouvé les rites d'aujourd'hui
le bonheur à l'affût dans les jours inventaires
notre maison paisible et les toits de nos frères
le passé, le présent, qui ne se voudront plus
les ennemis dressés que nous aurions connus

Je t'écris

Je t'écris pour te dire que je t'aime
que mon cœur qui voyage tous les jours
— le cœur parti dans la dernière neige
le cœur parti dans les yeux qui passent
le cœur parti dans les ciels d'hypnose —
revient le soir comme une bête atteinte

Qu'es-tu devenue toi comme hier ?
Moi j'ai noir éclaté dans la tête
j'ai froid dans la main
j'ai l'ennui comme un disque rengaine
j'ai peur d'aller seul de disparaître demain
sans ta vague à mon corps
sans ta voix de mousse humide
c'est ma vie que j'ai mal et ton absence

Le temps saigne.
Quand donc aurai-je de tes nouvelles ?
Je t'écris pour te dire que je t'aime
que tout finira dans tes bras amarré
que je t'attends dans la saison de nous-deux
qu'un jour mon cœur s'est perdu dans sa peine
que sans toi il ne reviendra plus

Mon amour quand nous serons couchés côte à côte
dans la crevasse du temps limoneux
nous reviendrons de nuit parler dans les herbes
au moment que grandit le point d'aube
dans les yeux des bêtes découpées dans la brume
tandis que le printemps liseronne aux fenêtres

22

Pour ce rendez-vous de notre fin du monde
c'est avec toi que je veux chanter
sur le seuil des mémoires les morts d'aujourd'hui
eux qui respirent pour nous
les espaces oubliés

Ma désolée sereine

Ma désolée sereine
ma barricadée lointaine
ma poésie les yeux brûlés
tous les matins tu te lèves à cinq heures et demie
dans ma ville et les autres
avec nous par la main d'exister
tu es la reconnue de notre lancinance
ma méconnue à la cime
tu nous coules d'un monde à l'autre
toi aussi tu es une amante avec des bras
non n'aie pas peur petite avec nous
nous te protégeons dans nos puretés fangeuses
avec nos corps revendiqués beaux
et t'aime Olivier
l'ami des jours qu'il nous faut espérer
et même après le temps de l'amer
quand tout ne sera que mémento à la lisière des ciels
tu renaîtras toi petite
parmi les cendres
le long des gares nouvelles
dans notre petit destin
ma poésie le cœur heurté
ma poésie de cailloux chahutés

Tout un chacun

Chacun ses pieds
dans ses pas

chacun ses larmes
au large des yeux

dans le Trois-Mâts
chacun ses rêves

chacun sa main
dans l'aumône

son mal de poudrerie
dans ses désirs

son mal de nébuleuse
dans ses pensées

au repas
chacun sa dent

chacun son cou
dans l'amour

chacun, chacun

chacun ses os
au cimetière

Self-defence

Dru le corps
craquant le cœur
ahan le jour
les poings dedans

je défends ma peau
rien que ça
ma peau de peau

c'est bien assez
il me semble
pour commencer

allez-y voir après

garanti
je bêle à la mort

Le verre d'eau ou l'inacceptable

Les bourgeons de la soif dans les pores
ce n'est pas l'eau que je bois dans le verre
c'est quelque chose au fil de l'eau
à quoi on pense dans le roule des jours
comme un défoncé enfoncé
toute la sainte face de journée
toute, goutte à goutte
car la soif demeure, panique, tenace
car ni de poids, de place ou d'étendue
ni dedans, ou dehors peut-être
rien de rien n'est changé
j'ai toujours la motte de feu à l'estomac
je refuse à fond de mes deux pieds
sur les freins du temps
comme d'accoutumance chaque fois
une fois les yeux ouverts
et vide le verre

Réduction

Des heures puis des heures au fil
de mes yeux, aux prises avec eux
sillonnant les terres de personne
les poumons soufflant comme une avenue

la sonde douloureuse est à l'œuvre
quelque part par ici
l'abandon sans frontières, le monde
profond dans la désespérance

je n'ai plus que mes yeux de z-yeux
tout ailleurs dans mon corps est ténèbre
mes yeux de z-yeux
               en tout et pour tout

les bulletins annoncent
qu'aucune localisation n'est en vue

pourtant je vois ce que je vois

Fait divers

Il n'a pas fait vieux os
ses os ont blanchi la nuit

il n'avait que sa folie
vous lui avez tiré dessus

il s'est mis à s'tasser
il s'est mis à s'manger
on n'a jamais vu ça
un homme qui se mange
un homme debout qui s'insère
dans la fêlure de sa vie

hors du vivant, vivant
un homme que le monde enferme

il a compté, s'amenuisant
les coups de pied de son sang
s'est vu descendre
le nœud coulant glissait bien

adieu la visite
salut les caves

dispersez-vous
rentrez chez vous

Ce monde sans issue

Pleure un peu, pleure ta tête, ta tête de vie
dans le feu des épées de vent dans tes cheveux
parmi les éclats sourds de béton sur tes parois
ta longue et bonne tête de la journée
ta tête de pluie enseignante
et pelures
et callosités
ta tête de mort

et ne pouvant plus me réfugier en Solitude
ni remuer la braise dans le bris du silence
ni ouvrir la paupière ainsi
qu'un départ d'oiseau dans la savane
que je meure ici au cœur de la cible
au cœur des hommes et des horaires
car il n'y a plus un seul endroit
de la chair de solitude qui ne soit meurtrie
même les mots que j'invente
ont leur petite aigrette de chair bleuie

souvenirs, souvenirs, maison lente
un cours d'eau me traverse
je sais, c'est la *Nord* de mon enfance
avec ses mains d'obscure tendresse
qui voletaient sur mes épaules
ses mains de latitudes de plénitude

et mes vingt ans et quelques dérivent
au gré des avenirs mortes, mes nuques
dans le vide

Déclaration

à la dérision

Je suis seul comme le vert des collines au loin
je suis crotté et dégoûtant devant les portes
les yeux crevés comme des œufs pas beaux à voir
et le corps écumant et fétide de souffrance

Je n'ai pas eu de chance dans la baraque de vie
je n'ai connu que de faux aveux de biais le pire
je veux abdiquer jusqu'à la corde usée de l'âme
je veux perdre la mémoire à fond d'écrou

L'automne est venu je me souviens presque encore
on a préparé les niches pour les chiens pas vrai
mais à moi, à mon amour, à mon mal gênants
on ouvrit toutes grandes les portes pour dehors

or, dans ce monde d'où je ne sortirai bondieu
que pour payer mon dû, et où je suis gigué déjà,
fait comme un rat par toutes les raisons de vivre
hommes, chers hommes, je vous remets volontiers

    1 — ma condition d'homme

    2 — je m'étends par terre
    dans ce monde où il semble meilleur
    être chien qu'être homme

La route que nous suivons

A la criée du salut nous voici
armés de désespoir

au nord du monde nous pensions être à l'abri
loin des carnages de peuples
de ces malheurs de partout qui font la chronique
de ces choses ailleurs qui n'arrivent qu'aux autres
incrédules là même de notre perte
et tenant pour une grâce notre condition

soudain contre l'air égratigné de mouches à feu
je fus debout dans le noir du Bouclier
droit à l'écoute comme fil à plomb à la ronde
nous ne serons jamais plus des hommes
si nos yeux se vident de leur mémoire

beau désaccord ma vie qui fonde la controverse
je ne récite plus mes leçons de deux mille ans
je me promène je hèle et je cours
cloche-alerte mêlée au paradis obsessionnel
tous les liserons des désirs fleurissent
dans mon sang tourne-vents
venez tous ceux qui oscillent à l'ancre des soirs
levons nos visages de terre cuite et nos mains
de cuir repoussé frappées de sol de travaux

nous avançons nous avançons le front comme un delta

« Good bye farewell ! »
nous reviendrons nous aurons à dos le passé
et à force d'avoir pris en haine toutes les servitudes
nous serons devenus des bêtes féroces de l'espoir.

La marche à l'amour

Le temps de toi

Il fait un temps fou de soleil carrousel
la végétation de l'ombre partout palpitante
le jour qui promène les calèches du bonheur
le ciel est en marche sur des visages d'escale
puis d'un coup le vent s'éprend d'un arbre seul
il allume tous les rêves de son feuillage

Belle vie où nos mains foisonnent je te coupe
je reçois en plein cœur tes objets qui brillent
voici des silences comme des révolvers éteints
mes yeux à midi comme des étangs tranquilles
les fleurs sont belles de la santé des femmes

Le temps mon amour le temps ramage de toi
continûment je te parle à voix de passerelles
beaucoup de gens murmurent ton nom de bouquet
je sais ainsi que tu es toujours la plus jolie
et naissante comme les beautés de chaque saison
il fait un monde heureux foulé de vols courbes

Je monte dans les échelles tirées de mes regards
je t'envoie mes couleurs vertes de forêt caravelle
il fait un temps de cheval gris qu'on ne voit plus
il fait un temps de château très tard dans la braise
il fait un temps de lune dans les sommeils lointains

Jeune fille

Jeune fille plus belle que toutes nos légendes
de retour à la maison que protègent les mères
secrète et enjouée parmi les êtres de l'été
elle aimait bien celui qui cache son visage

sur mon corps il ne reste que bruine d'amour
au loin les songes se rassemblent à sa taille
pour les bouquets d'eau de ses yeux trop beaux
les yeux qu'elle a lui font trop mal à l'âme

jeune fille plus perdue que toute la neige
les ans s'encordent sur mes longueurs de solitude
et toujours à l'orée de ta distance lointaine
tes mille essaims de sourires encore m'escortent

j'en parle à cause d'un village de montagnes
d'où s'envolent des rubans de route fragiles
toi et moi nous y fûmes plusieurs fois la vie
avec les bonheurs qui d'habitude arrivent

je parle de ces choses qui nous furent volées
mais les voudra la mort plus que l'ombre légère
nous serons tous deux allongés comme un couple
enfin heureux dans la mémoire de mes poèmes

Plus belle que les larmes

Jeune fille plus belle que les larmes
qui ont coulé plus qu'averses d'avril
beaux yeux aux ondes de martin-pêcheur du matin
où passent les longs courriers de mon désir
mémoire, ô colombe dans l'espace du cœur
mes mains sont au fuseau des songes éteints
je me souviens de sa hanche de navire
je me souviens de ses épis de frissons
et sur mes fêtes et mes désastres
je te salue toi la plus belle
et je chante

La marche à l'amour

Tu as les yeux pers des champs de rosées
tu as des yeux d'aventure et d'années-lumière
la douceur du fond des brises au mois de mai
dans les accompagnements de ma vie en friche
avec cette chaleur d'oiseau à ton corps craintif
moi qui suis charpente et beaucoup de fardoches
moi je fonce à vive allure et entêté d'avenir
la tête en bas comme un bison dans son destin
la blancheur des nénuphars s'élève jusqu'à ton cou
pour la conjuration de mes manitous maléfiques
moi qui ai des yeux où ciel et mer s'influencent
pour la réverbération de ta mort lointaine
avec cette tache errante de chevreuil que tu as

tu viendras tout ensoleillée d'existence
la bouche envahie par la fraîcheur des herbes
le corps mûri par les jardins oubliés
où tes seins sont devenus des envoûtements
tu te lèves, tu es l'aube dans mes bras
où tu changes comme les saisons
je te prendrai marcheur d'un pays d'haleine
à bout de misères et à bout de démesures
je veux te faire aimer la vie notre vie
t'aimer fou de racines à feuilles et grave
de jour en jour à travers nuits et gués
de moellons nos vertus silencieuses
je finirai bien par te rencontrer quelque part
bon dieu !
et contre tout ce qui me rend absent et douloureux
par le mince regard qui me reste au fond du froid
j'affirme ô mon amour que tu existes
je corrige notre vie

nous n'irons plus mourir de langueur
à des milles de distance dans nos rêves bourrasques
des filets de sang dans la soif craquelée de nos lèvres
les épaules baignées de vols de mouettes
non
j'irai te chercher nous vivrons sur la terre
la détresse n'est pas incurable qui fait de moi
une épave de dérision, un ballon d'indécence
un pitre aux larmes d'étincelles et de lésions profondes
frappe l'air et le feu de mes soifs
coule-moi dans tes mains de ciel de soie
la tête la première pour ne plus revenir
si ce n'est pour remonter debout à ton flanc
nouveau venu de l'amour du monde
constelle-moi de ton corps de voie lactée
même si j'ai fait de ma vie dans un plongeon
une sorte de marais, une espèce de rage noire
si je fus cabotin, concasseur de désespoir
j'ai quand même idée farouche
de t'aimer pour ta pureté
de t'aimer pour une tendresse que je n'ai pas connue

dans les giboulées d'étoiles de mon ciel
l'éclair s'épanouit dans ma chair
je passe les poings durs au vent
j'ai un cœur de mille chevaux-vapeur
j'ai un cœur comme la flamme d'une chandelle
toi tu as la tête d'abîme douce n'est-ce pas
la nuit de saule dans tes cheveux
un visage enneigé de hasards et de fruits
un regard entretenu de sources cachées
et mille chants d'insectes dans tes veines
et mille pluies de pétales dans tes caresses

tu es mon amour
ma clameur mon bramement
tu es mon amour ma ceinture fléchée d'univers
ma danse carrée des quatre coins d'horizon
le rouet des écheveaux de mon espoir
tu es ma réconciliation batailleuse

mon murmure de jours à mes cils d'abeille
mon eau bleue de fenêtre
dans les hauts vols de buildings
mon amour
de fontaines de haies de ronds-points de fleurs
tu es ma chance ouverte et mon encerclement
à cause de toi
mon courage est un sapin toujours vert
et j'ai du chiendent d'achigan plein l'âme
tu es belle de tout l'avenir épargné
d'une frêle beauté soleilleuse contre l'ombre
ouvre-moi tes bras que j'entre au port
et mon corps d'amoureux viendra rouler
sur les talus du Mont-Royal
orignal, quand tu brames orignal
coule-moi dans ta palinte osseuse
fais-moi passer tout cabré tout empanaché
dans ton appel et ta détermination

Montréal est grand comme un désordre universel
tu es assise quelque part avec l'ombre et ton cœur
ton regard vient luire sur le sommeil des colombes
fille dont le visage est ma route aux réverbères
quand je plonge dans les nuits de sources
si jamais je te rencontre fille
après les femmes de la soif glacée
je pleurerai te consolerai
de tes jours sans pluies et sans quenouilles
des circonstances de l'amour dénoué
j'allumerai chez toi les phares de la douceur
nous nous reposerons dans la lumière
de toutes les mers en fleurs de manne
puis je jetterai dans ton corps le vent de mon sang
tu seras heureuse fille heureuse
d'être la femme que tu es dans mes bras
le monde entier sera changé en toi et moi

la marche à l'amour s'ébruite en un voilier
de pas voletant par les lacs de portage
mes absolus poings

ah violence de délices et d'aval
j'aime
        que j'aime
                que tu t'avances
                        ma ravie
frileuse aux pieds nus sur les frimas de l'aube
par ce temps profus d'épilobes en beauté
sur ces grèves où l'été
pleuvent en longues flammèches les cris des pluviers
harmonica du monde lorsque tu passes et cèdes
ton corps tiède de pruche à mes bras pagayeurs
lorsque nous gisons fleurant la lumière incendiée
et qu'en tangage de moisson ourlée de brises
je me déploie sur ta fraîche chaleur de cigale
je roule en toi
tous les saguenays d'eau noire de ma vie
je fais naître en toi
les frénésies de frayères au fond du cœur d'outaouais
puis le cri de l'engoulevent vient s'abattre dans ta gorge
terre meuble de l'amour ton corps
se soulève en tiges pêle-mêle
je suis au centre du monde tel qu'il gronde en moi
avec la rumeur de mon âme dans tous les coins
je vais jusqu'au bout des comètes de mon sang
haletant
            harcelé de néant
                    et dynamité
de petites apocalypses
les deux mains dans les furies dans les féeries
ô mains
ô poings
comme des cogneurs de folles tendresses

mais que tu m'aimes et si tu m'aimes
s'exhalera le froid natal de mes poumons
le sang tournera ô grand cirque
je sais que tout amour
sera retourné comme un jardin détruit
qu'importe je serai toujours si je suis seul
cet homme de lisière à bramer ton nom

41

éperdument malheureux parmi les pluies de trèfles
mon amour ô ma plainte
de merle-chat dans la nuit buissonneuse
ô fou feu froid de la neige
beau sexe léger ô ma neige
mon amour d'éclairs lapidée
morte
dans le froid des plus lointaines flammes

puis les années m'emportent sens dessus dessous
je m'en vais en délabre au bout de mon rouleau
des voix murmurent les récits de ton domaine
à part moi je me parle
que vais-je devenir dans ma force fracassée
ma force noire du bout de mes montagnes
pour te voir à jamais je déporte mon regard
je me tiens aux écoutes des sirènes
dans la longue nuit effilée du clocher de Saint-Jacques
et parmi ces bouts de temps qui halètent
me voici de nouveau campé dans ta légende
tes grands yeux qui voient beaucoup de cortèges
les chevaux de bois de tes rires
tes yeux de paille et d'or
seront toujours au fond de mon cœur
et ils traverseront les siècles

je marche à toi, je titube à toi, je meurs de toi
lentement je m'affale de tout mon long dans l'âme
je marche à toi, je titube à toi, je bois
à la gourde vide du sens de la vie
à ces pas semés dans les rues sans nord ni sud
à ces taloches de vent sans queue et sans tête
je n'ai plus de visage pour l'amour
je n'ai plus de visage pour rien de rien
parfois je m'assois par pitié de moi
j'ouvre mes bras à la croix des sommeils
mon corps est un dernier réseau de tics amoureux
avec à mes doigts les ficelles des souvenirs perdus
je n'attends pas à demain je t'attends
je n'attends pas la fin du monde je t'attends
dégagé de la fausse auréole de ma vie

42

Poème de séparation 1

Comme aujourd'hui quand me quitte cette fille
chaque fois j'ai saigné dur à n'en pas tarir
par les sources et les nœuds qui m'enchevêtrent.
Et je ne suis plus qu'un homme descendu à sa boue
chagrins et pluies couronnent ma tête hagarde
et tandis que l'oiseau s'émiette dans la pierre
les fleurs avancées du monde agonisent de froid
et le fleuve remonte seul debout dans ses vents.

Je me creusais un sillon aux larges épaules
au bout son visage montait comme l'horizon
maintenant je suis pioché d'un mal d'épieu
christ pareil à tous les christs de par le monde
couchés dans les rafales lucides de leur amour
qui seul amour change la face de l'homme
qui seul amour prend hauteur d'éternité
sur la mort blanche des destins bien en cible.

Je t'aime et je n'ai plus que les lèvres
pour te le dire dans mon ramas de ténèbres
le reste est mon corps igné ma douleur cymbale
nuit basalte de mon sang et mon cœur derrick
je cahote dans mes veines de carcasse et de boucane.

La souffrance a les yeux vides du fer-blanc
elle ravage en dessous feu de terre noire
la souffrance la pas belle et qui déforme
est dans l'âme un essaim de la mort de l'âme.

Ma Rose Stellaire Rose Bouée Rose Toujours
ma caille de tendresse mon allant d'espérance
mon premier amour aux seins de pommiers en fleurs
dans la chaleur de midi violente

Poème de séparation 2

Tu fus quelques nuits d'amour en mes bras
et beaucoup de vertige, beaucoup d'insurrection
même après tant d'années de mer entre nous
à chaque aube il est dur de ne plus t'aimer

parfois dans la foule, surgit l'éclair d'un visage
blanc comme fut naguère le tien dans ma tourmente
autour de moi l'air est plein de trous bourdonnant
peut-être qu'ailleurs passent sur ta chair désolée
pareillement des éboulis de bruits vides
et fleurissent les mêmes brûlures éblouissantes

si j'ai ma part d'incohérence il n'empêche
que par moment ton absence fait rage
qu'à travers cette absence je me désoleille
par mauvaise affliction et sale vue malade
j'ai un corps en mottes de braise où griffe
un mal fluide de glace vive en ma substance

ces temps difficiles malmènent nos consciences
et le monde file un mauvais coton, et moi
tel le bec du pivert sur l'écorce des arbres
de déraison en désespoir mon cœur s'acharne
et comme lui, mitraillette, il martèle

ta lumière n'a pas fini de m'atteindre
ce jour-là, ma nouvellement oubliée
je reprendrai haut bord et destin de poursuivre
en une femme aimée pour elle à cause de toi

Avec toi

Je voudrais t'aimer comme tu m'aimes, d'une
seule coulée d'être ainsi qu'il serait beau
dans cet univers à la grande promesse de Sphynx
mais voici la poésie, les camarades, la lutte
voici le système précis qui écrase les nôtres
et je ne sais plus, je ne sais plus t'aimer
comme il le faudrait ainsi qu'il serait bon
ce que je veux te dire, je dis que je t'aime

l'effroi s'emmêle à l'eau qui ourle tes yeux
le dernier cri de ta détresse vrille à ma tempe
(nous vivons loin l'un de l'autre à cause de moi
plus démuni que pauvreté d'antan) (et militant)
ceux qui s'aimeront agrandis hors de nos limites
qu'ils pensent à nous, à ceux d'avant et d'après
(mais pas de remerciements, pas de pitié, par
amour), pour l'amour, seulement de temps en temps
à l'amour et aux hommes qui en furent éloignés

ce que je veux te dire, nous sommes ensemble
la flûte de tes passages, le son de ton être
ton être ainsi que frisson d'air dans l'hiver
il est ensemble au mien comme désir et chaleur

Je suis un homme simple avec des mots qui peinent
et je ne sais pas écrire en poète éblouissant
je suis tué (cent fois je fus tué), un tué rebelle
et j'ahane à me traîner pour aller plus loin
déchéance est ma parabole depuis des suites de pères
je tombe et tombe et m'agrippe encore
je me relève et je sais que je t'aime

je sais que d'autres hommes forceront un peu plus
la transgression, des hommes qui nous ressemblent
qui vivront dans la vigilance notre dignité réalisée
c'est en eux dans l'avenir que je m'attends
que je me dresse sans qu'ils le sachent, avec toi

Une fin comme une autre
ou une mort en poésie...

Si tu savais comme je lutte de tout mon souffle
contre la malédiction de bâtiments qui craquent
telles ces forces de naufrage qui me hantent
tel ce goût de l'être à se défaire que je crache

et quoi dire que j'endure dans toute ma charpente
ces années vides de la chaleur d'un autre corps
je ne pourrai pas toujours, l'air que je respire
est trop rare sans toi, un jour je ne pourrai plus

ce jour sera la mort d'un homme de courage inutile
venue avec un froid dur de cristaux dans ses membres
mon amour, est-ce moi plus loin que toute la neige
enlisé dans la faim, givré, yeux ouverts et brûlés

La batèche
La vie agonique

1. La batèche

Non

Vous pouvez me bâillonner, m'enfermer
avec votre argent en chien de fusil
avec vos polices et vos lois, je vous réponds

NON

je vous réponds, je recommence
je vous garroche mes volées de copeaux de haine
de désirs homicides
je vous maganne, je vous use, je vous rends fous
je vous fais honte
vous ne m'aurez pas vous devrez m'abattre
avec ma tête de tocson, de nœud de bois, de souche
ma tête de semailles nouvelles
j'ai endurance, j'ai couenne et peau de babiche
mon grand sexe claque
je me désinvestis de vous, je vous échappe
les sommeils bougent, ma poitrine résonne

j'ai retrouvé l'avenir

Le damned Canuck

nous sommes nombreux silencieux raboteux rabotés
dans les brouillards de chagrin crus
à la peine à piquer du nez dans la souche des misères
un feu de mangeoire aux tripes
et la tête bon dieu, nous la tête
un peu perdue pour reprendre nos deux mains
ô nous pris de gel et d'extrême lassitude

la vie se consume dans la fatigue sans issue
la vie en sourdine et qui aime sa complainte
aux yeux d'angoisse travestie de confiance naïve
à la rétine d'eau pure dans la montagne natale
la vie toujours à l'orée de l'air
toujours à la ligne de flottaison de la conscience
au monde la poignée de porte arrachée

ah sonnez crevez sonnailles de vos entrailles
riez et sabrez à la coupe de vos privilèges
grands hommes, classe écran, qui avez fait de moi
le sous-homme, la grimace souffrante du cro-magnon
l'homme du cheap way, l'homme du cheap work
le damned Canuck

seulement les genoux seulement le ressaut pour dire

Séquences

Parmi les hommes dépareillés de ces temps
je marche à grands coups de tête à fusée chercheuse
avec de pleins moulins de bras sémaphore
du vide de tambour dans les jambes
et le corps emmanché d'un mal de démanche
reçois-moi orphelin bel amour de quelqu'un
monde miroir de l'inconnu qui m'habite
je traverse des jours de miettes de pain
la nuit couleur de vin dans les caves
je traverse le cercle de l'ennui perroquet
dans la ville
il fait les yeux des chiens malades

La batèche ma mère c'est notre vie de vie
batèche au cœur fier à tout rompre
batèche à la main inusable
batèche à la tête de braconnage dans nos montagnes
batèche de mon grand-père dans le noir analphabète
batèche de mon père rongé de veilles
batèche dans mes yeux d'enfant

Les bulles du délire les couleurs débraillées
le mutisme des bêtes dans les nœuds du bois
du chiendent d'histoire depuis deux siècles
et me voici
sortant des craques des fentes des soupiraux
ma face de suaire quitte ses traits inertes
je me dresse dans l'appel d'une mémoire osseuse
j'ai mal à la mémoire car je n'ai pas de mémoire

53

dans la pâleur de vivre et la moire des neiges
je radote à l'envers je chambranle dans les portes
je fais peur avec ma voix les moignons de ma voix

Dam canuck de dam canuck de pea soup
sainte bénite de sainte bénite de batèche
sainte bénite de vie magannée de batèche
belle grégousse de vieille réguine de batèche

Suis-je ici
ou ailleurs ou autrefois dans mon village
je marche sur des étendues de pays voilés
m'écrit Olivier Marchand d'une brunante à l'autre
et je farouche de bord en bord
je barouette et fardoche et barouche
je vais plus loin que loin que mon haleine
je vais plus loin que la fin de l'éboulement
puis j'apparais dans une rue d'apôtre
je ne veux pas me laisser enfermer
dans les gagnages du poème, piégé fou raide
mais que le poème soit le chemin des hommes
et du peu qu'il nous reste d'être fier
laissez-moi donner la main à l'homme de peine
et amironner

Les lointains soleils carillonneurs du Haut-Abitibi
s'éloignent emmêlés d'érosions
avec un ciel de ouananiche et de fin d'automne
ô loups des forêts de Grand-Remous
votre ronde pareille à ma folie
parmi les tendres bouleaux que la lune dénonce
dans la nuit semée de montagnes en éclats
de sol tracté d'éloignement
j'erre sous la pluie soudaine et qui voyage

54

la vie tiraillée qui grince dans les girouettes
homme croa-croa
toujours à renaître de ses clameurs découragées
sur cette maigre terre qui s'espace
les familles se désâment
et dans la douleur de nos dépossessions
temps bêcheur temps tellurique
j'en appelle aux arquebuses de l'aube
de toute ma force en bois debout

Cré bataclan des misères batèche
cré maudit raque de destine batèche
raque des amanchures des parlures et des sacrures
moi le raqué de partout batèche
nous les raqués de l'histoire batèche

2. La vie agonique

En mon pays suis en terre lointaine
François Villon

L'homme agonique

Jamais je n'ai fermé les yeux
malgré les vertiges sucrés des euphories
même quand mes yeux sentaient le roussi
même en butte aux rafales montantes du sommeil

— Car je trempe jusqu'à la moelle des os
jusqu'aux états d'osmose incandescents
dans la plus noire transparence de nos sommeils

— Tapi au fond de moi tel le fin renard
alors je me résorbe en jeux, je mime et parade
ma vérité, le mal d'amour, et douleurs et joies

Et je m'écris sous la loi d'émeute
je veux saigner sur vous par toute l'affection
j'écris, j'écris, à faire un fou de moi
à me faire le fou du roi de chacun
volontaire aux enchères de la dérision
mon rire en volées de grelots par vos têtes
en chavirées de pluie dans vos jambes

Mais je ne peux me déprendre du conglomérat
je suis le rouge-gorge de la forge
le mégot de survie, l'homme agonique

Un jour de grande détresse à son comble
je franchirai les tonnerres des désespoirs

je déposerai ma tête exsangue sur un meuble
ma tête grenade et déflagration
sans plus de vue je continuerai, j'irai
vers ma mort peuplée de rumeurs et d'éboulis
je retrouverai ma nue propriété

Héritage de la tristesse

Il est triste et pêle-mêle dans les étoiles tombées
livide, muet, nulle part et effaré, vaste fantôme
il est ce pays seul avec lui-même et neiges et rocs
un pays que jamais ne rejoint le soleil natal
en lui beau corps s'enfouit un sommeil désaltérant
pareil à l'eau dans la soif vacante des graviers

je le vois à la bride des hasards, des lendemains
il affleure dans les songes des hommes de peine
quand il respire en vagues de sous-bois et fougères
quand il brûle en longs peupliers d'années et d'oubli
l'inutile chlorophylle de son amour sans destin
quand gît à son cœur de misaine un désir d'être

il attend, prostré, il ne sait plus quelle rédemption
parmi les paysages qui marchent en son immobilité
parmi ses haillons de silence aux iris de mourant
il a toujours ce sourire échoué du pauvre avenir avili
il est toujours à sabrer avec les pagaies de l'ombre
l'horizon devant lui recule en avalanches de promesses

démuni, il ne connaît qu'un espoir de terrain vague
qu'un froid de jonc parlant avec le froid de ses os
le malaise de la rouille, l'à-vif, les nerfs, le nu
dans son large dos pâle les coups de couteaux cuits
il vous regarde, exploité, du fond de ses carrières
et par à travers les tunnels de son absence, un jour
n'en pouvant plus y perd à jamais la mémoire d'homme

les vents qui changez les sorts de place la nuit
vents de rendez-vous, vents aux prunelles solaires

vents telluriques, vents de l'âme, vents universels
vents ameutez-nous, et de vos bras de fleuve ensemble
enserrez son visage de peuple abîmé, redonnez-lui
la chaleur
      et la profuse lumière des sillages d'hirondelles

Pour mon rapatriement

Homme aux labours des brûlés de l'exil
selon ton amour aux mains pleines de rudes conquêtes
selon ton regard arc-en-ciel arc-bouté dans les vents
en vue de villes et d'une terre qui te soient natales

je n'ai jamais voyagé
vers autre pays que toi mon pays

un jour j'aurai dit oui à ma naissance
j'aurai du froment dans les yeux
je m'avancerai sur ton sol, ému, ébloui
par la pureté de bête que soulève la neige

un homme reviendra
d'en dehors du monde

Les siècles de l'hiver

Le gris, l'agacé, le brun, le farouche
tu craques dans la beauté fantôme du froid
dans les marées de bouleaux, les confréries
d'épinettes, de sapins et autres compères
parmi les rocs occultes et parmi l'hostilité

pays chauve d'ancêtres, pays
tu déferles sur des milles de patience à bout
en une campagne affolée de désolement
en des villes où ta maigreur calcine ton visage
nous nos amours vidées de leurs meubles
nous comme empesés d'humiliation et de mort

et tu ne peux rien dans l'abondance captive
et tu frissonnes à petit feu dans notre dos

Et l'amour même est atteint

Dans l'envol d'un espace baigné d'eaux médiantes
sur cette terre de la nostalgie rauque et basse
recouverte et découverte par l'aile des saisons
mes yeux sont ancrés dans le sort du monde
mon amour je te cherche dans l'aboli toi
ô solitude de trille blanc dans le mai des bois
je veux te posséder en même temps que ma vie
mes gestes
sont pleins de blessures mes pleins poignets
de compassion

je pioche mon destin de long en large
dans l'insolence et la patience et les lentes
        interrogations giratoires
le dû d'un homme de l'amour de rien ô dérision

toi quels yeux as-tu dans les feuillages
de bulles de hublots de pépites
de geai bleu en jaseur des cèdres
quel cœur effaré de chevreuse en fuite

si c'est ton visage au loin posé comme un phare
me voici avec mon sang de falaise et d'oriflammes
de toutes mes lèvres venteuses sur les terres
de toute la force échevelée de mes errances
car déjà le monde tourne sur ses gonds
la porte tournera sur ses fables
et j'entends ton rire de bijoux consumés
dans le lit où déferlent les printemps du plaisir

il y aura toi et moi, et le cœur unanime
je serai enfin dévêtu de ma fatigue

La braise et l'humus

Rien n'est changé de mon destin ma mère mes
camarades
le chagrin luit toujours d'une mouche à feu à l'autre
je suis taché de mon amour comme on est taché de sang
mon amour mon errance fait mes murs à perpétuité

un goût d'années d'humus aborde à mes lèvres
je suis malheureux plein ma carrure, je saccage
la rage que je suis, l'amertume que je suis
avec ce bœuf de douleurs qui souffle dans mes côtes

c'est moi maintenant mes yeux gris dans la braise
c'est mon cœur obus dans les champs de tourmente
c'est ma langue dans les étages des nuits de ruche
c'est moi cet homme au galop d'âme et de poitrine

je vais mourir comme je n'ai pas voulu finir
mourir seul comme les eaux mortes au loin
dans les têtes flambées de ma tête, à la bouche
les mots corbeaux de poème qui croassent
je vais mourir vivant dans notre empois de mort

Monologues de l'aliénation délirante

Le plus souvent ne sachant où je suis ni pourquoi
je me parle à voix basse voyageuse
et d'autres fois en phrases détachées (ainsi
que se meuvent chacune de nos vies)
puis je déparle à voix haute dans les hauts-parleurs
crevant les cauchemars, et d'autres fois encore
déambulant dans un orbe calfeutré, les larmes
poussent comme de l'herbe dans mes yeux
j'entends de loin : de l'enfance, ou du futur
les eaux vives de la peine lente dans les lilas
je suis ici à rétrécir dans mes épaules
je suis là immobile et ridé de vent

le plus souvent ne sachant où je suis ni comment
je voudrais m'étendre avec tous et comme eux
corps farouche abattu avec des centaines d'autres
me morfondre pour un sort meilleur en marmonnant
en trompant l'attente héréditaire et misérable
je voudrais m'enfoncer dans la nord nuit de métal
enfin me perdre évanescent, me perdre
dans la fascination de l'hébétude multiple
pour oublier la lampe docile des insomnies
à l'horizon intermittent de l'existence d'ici

or je suis dans la ville opulente
la grande Ste Catherine Street galope et claque
dans les Mille et une Nuits des néons
moi je gis, muré dans la boîte crânienne
dépoétisé dans ma langue et mon appartenance

déphasé et décentré dans ma coïncidence
ravageur je fouille ma mémoire et mes chairs
jusqu'en les maladies de la tourbe et de l'être
pour trouver la trace de mes signes arrachés emportés
pour reconnaître mon cri dans l'opacité du réel

or je descends vers les quartiers minables
bas et respirant dans leur remugle
je dérive dans des bouts de rues décousus
voici ma vraie vie — dressée comme un hangar —
débarras de l'Histoire — je la revendique
je refuse un salut personnel et transfuge
je m'identifie depuis ma condition d'humilié
je le jure sur l'obscure respiration commune
je veux que les hommes sachent que nous savons

le délire grêle dans les espaces de ma tête
claytonies petites blanches claytonies de mai
pourquoi vous au fond de la folie mouvante
feux rouges les hagards tournesols de la nuit
je marche avec un cœur de patte saignante

c'est l'aube avec ses pétillements de branches
par-devers l'opaque et mes ignorances
je suis signalé d'aubépines et d'épiphanies
poésie mon bivouac
ma douce svelte et fraîche révélation de l'être
tu sonnes aussi sur les routes où je suis retrouvé
avançant mon corps avec des pans de courage
avançant mon cou au travers de ma soif
par l'haleine et le fer
et la vaillante volonté des larmes

salut de même humanité des hommes lointains
malgré vous malgré nous je m'entête à exister
salut à la saumure d'homme

à partir de la blanche agonie de père en fils
à la consigne de la chair et des âmes
à tous je me lie
jusqu'à l'état de détritus s'il le faut
dans la résistance
à l'amère décomposition viscérale et ethnique
de la mort des peuples drainés
où la mort n'est même plus la mort de quelqu'un.

Les années de déréliction
(recours didactique)

La noirceur d'ici qui gêne le soleil lui-même
me pénètre, invisible comme l'idiotie teigneuse.
chaque jour dans ma vie reproduit le précédent
et je succombe sans jamais mourir tout à fait.

celui qui n'a rien comme moi, comme plusieurs
marche depuis sa naissance, marche à l'errance
avec tout ce qui déraille et tout ce qui déboussole
dans son vague cerveau que l'agression embrume

comment me retrouver labyrinthe ô mes yeux
je marche dans mon manque de mots et de pensée
hors du cercle de ma conscience, hors de portée
père, mère, je n'ai plus mes yeux de fil en aiguille.

puisque je suis perdu, comme beaucoup des miens
que je ne peux parler autrement qu'entre nous
ma langue pareille à nos désarrois et nos détresses
et bientôt pareille à la fosse commune de tous,

puisque j'ai perdu, comme la plupart autour
perdu la mémoire à force de misère et d'usure
perdu la dignité à force de devoir me rabaisser
et le respect de moi-même à force de dérision,

puisque je suis devenu, comme un grand nombre
une engeance qui tant s'éreinte et tant s'esquinte
à connaître son nom, sa place et son lendemain
et jusqu'à se détruire à n'y pouvoir prétendre,

terre, terre, tu bois avec nous, terre comme nous
qui échappes à toute prégnance nôtre et aimante
tu bois les millénaires de la neige par désespoir

avec comme nous une fixité hagarde et discontinue

cependant que la beauté aurifère du froid
t'auréole et comme nous dans la mort te sertit.

je vais, parmi des avalanches de fantômes.
je suis mon hors-de-moi et mon envers.
nous sommes cernés par les ululements proches
des déraisons, des maléfices et des homicides.

je vais, quelques-uns sont toujours réels
lucides comme la grande aile brûlante de l'horizon
faisant sonner leur amour tocsin dans le malheur,
une souffrance concrète, une interrogation totale.

poème, mon regard, j'ai tenté que tu existes
luttant contre mon irréalité dans ce monde
nous voici ballottés dans un destin en dérive
nous agrippant à nos signes méconnaissables.

notre visage disparu, s'effaceront tes images
mais il me semble entrevoir qui font surface
une histoire et un temps qui seront nôtres
comme après le rêve quand le rêve est réalité.

et j'élève une voix parmi des voix contraires
sommes-nous sans appel de notre condition
sommes-nous sans appel à l'universel recours

hommes, souvenez-vous de vous en d'autres temps.

Tête de caboche

Une idée ça vrille et pousse
l'idée du champ dans l'épi de blé
au cœur des feuilles l'idée de l'arbre
qui va faire une forêt
et même, même
forcenée, l'idée du chiendent

c'est dans l'homme tenu
sa tourmente aiguisée
sa brave folie grimpante
à hue, et à dia

Non, ça n'déracine pas
ça fait à sa tête de travers
cette idée-là, bizarre ! qu'on a
tête de caboche, ô liberté

Je suis sur la place publique avec...
du poète n'a pas traversé de mot
l'ai su que l'espérance soulevait ce monde profond

Sur la place publique
(recours didactique)

Mes camarades au long cours de ma jeunesse
si je fus le haut lieu de mon poème, maintenant
je suis sur la place publique avec les miens
et mon poème a pris le mors obscur de nos combats

Longtemps je fus ce poète au visage conforme
qui frissonnait dans les parallèles de ses pensées
qui s'étiolait en rage dans la soie des désespoirs
et son cœur raillait de haut la crue des injustices

Maintenant je sais nos êtres en détresse dans le siècle
je vois notre infériorité et j'ai mal en chacun de nous

Aujourd'hui sur la place publique qui murmure
j'entends la bête tourner dans nos pas
j'entends surgir dans le grand inconscient résineux
les tourbillons des abattis de nos colères

Toi mon amour tu es là, fière dans ces jours
nous nous aimons d'une force égale à ce qui nous sépare
la rance odeur de métal et d'intérêts croulants
tu sais que je peux revenir et rester près de toi
ce n'est pas le sang, ni l'anarchie ou la guerre
et pourtant je lutte, je te le jure, je lutte
parce que je suis en danger de moi-même à toi
et tous deux le sommes de nous-mêmes aux autres

Les poètes de ce temps montent la garde du monde
car le péril est dans nos poutres, la confusion
une brunante dans nos profondeurs et nos surfaces
nos consciences sont éparpillées dans les débris
de nos miroirs, nos gestes des simulacres de liberté
je ne chante plus je pousse la pierre de mon corps

Je suis sur la place publique avec les miens
la poésie n'a pas à rougir de moi
j'ai su qu'une espérance soulevait ce monde jusqu'ici.

Compagnon des Amériques

Compagnon des Amériques
mon Québec ma terre amère ma terre amande
ma patrie d'haleine dans la touffe des vents
j'ai de toi la difficile et poignante présence
avec une large blessure d'espace au front
dans une vivante agonie de roseaux au visage

je parle avec les mots noueux de nos endurances
nous avons soif de toutes les eaux du monde
nous avons faim de toutes les terres du monde
dans la liberté criée de débris d'embâcle
nos feux de position s'allument vers le large
l'aïeule prière à nos doigts défaillante
la pauvreté luisant comme des fers à nos chevilles

mais cargue-moi en toi pays, cargue-moi
et marche au rompt le cœur de tes écorces tendres
marche à l'arête de tes dures plaies d'érosion
marche à tes pas réveillés des sommeils d'ornières
et marche à ta force épissure des bras à ton sol

mais chante plus haut l'amour en moi, chante
je me ferai passion de ta face
je me ferai porteur des germes de ton espérance
veilleur, guetteur, coureur, haleur de ton avènement
un homme de ton réquisitoire
un homme de ta patience raboteuse et varlopeuse
un homme de ta commisération infinie
        l'homme artériel de tes gigues
dans le poitrail effervescent des poudreries
dans la grande artillerie de tes couleurs d'automne
dans tes hanches de montagnes
dans l'accord comète de tes plaines

dans l'artésienne vigueur de tes villes
devant toutes les litanies
de chats-huants qui huent dans la lune
devant toutes les compromissions en peaux de vison
devant les héros de la bonne conscience
les émancipés malingres
les insectes des belles manières
devant tous les commandeurs de ton exploitation
de ta chair à pavé
de ta sueur à gages

mais donne la main à toutes les rencontres, pays
ô toi qui apparais
par tous les chemins défoncés de ton histoire
aux hommes debout dans l'horizon de la justice
qui te saluent
salut à toi territoire de ma poésie
salut les hommes des pères de l'aventure

L'octobre

L'homme de ce temps porte le visage de la Flagellation
et toi, Terre de Québec, Mère Courage
dans ta Longue Marche, tu es grosse
de nos rêves charbonneux douloureux
de l'innombrable épuisement des corps et des âmes

je suis né ton fils par en haut là-bas
dans les vieilles montagnes râpées du Nord
j'ai mal et peine ô morsure de naissance
cependant qu'en mes bras ma jeunesse rougeoie

voici mes genoux que les hommes nous pardonnent
nous avons laissé humilier l'intelligence des pères
nous avons laissé la lumière du verbe s'avilir
jusqu'à la honte et au mépris de soi dans nos frères
nous n'avons pas su lier nos racines de souffrance
à la douleur universelle dans chaque homme ravalé

je vais rejoindre les brûlants compagnons
dont la lutte partage et rompt le pain du sort commun
dans les sables mouvants des détresses grégaires

nous te ferons, Terre de Québec
lit des résurrections
et des mille fulgurances de nos métamorphoses
de nos levains où lève le futur
de nos volontés sans concessions
les hommes entendront battre ton pouls dans l'histoire
c'est nous ondulant dans l'automne d'octobre
c'est le bruit roux de chevreuils dans la lumière
l'avenir dégagé
                    l'avenir engagé

L'amour et le militant

Chaque jour

Chaque jour je m'enfonce dans ton corps
et le soleil vient bruire dans mes veines
mes bras enlacent ta nudité sans rivages
où je déferle pareil à l'espace sans bords

sur les pentes d'un combat devenu total
au milieu de la plus quotidienne obscurité
je pense à toi tel qu'au jour de ma mort
chaque jour tu es ma seule voie céleste

malgré l'érosion des peines tourmenteuses
je parviens à hisser mon courage faillible
je parviens au pays lumineux de mon être
que je t'offre avec le goût d'un cours nouveau

amour, sauvage amour de mon sang dans l'ombre
mouvant visage du vent dans les broussailles
femme, il me faut t'aimer femme de mon âge
comme le temps précieux et blond du sablier

Quand je te retrouve

Quand je te retrouve après les camarades
le monde est agrandi de nos espoirs de nos paroles
et de nos actions prochaines dans la lutte
c'est alors de t'émouvoir que je suis enhardi
avec l'intensité des adieux désormais dénoués
et de l'aube recommencée sur l'autre versant
lorsque dans nos corps et autour
lorsque dans nos pensées emmêlées
lentement de sondes lentement de salive solaire
jonchés de flores caressés de bêtes brûlantes
secoués de fulgurants déplacements de galaxies
où des satellites balisent demain de plus de dieux
ainsi de te prendre dans le tumulte et l'immensité
lucide avec effervescence
tu me hâtes en toi consumant le manège du désir
et lors de l'incoercible rafale fabuleuse
du milieu de nous confondus sans confins
se lèvent et nous soulèvent
l'empan et le faîte de l'étreinte plus pressante
que la fatalité
noueuse et déliée, chair et verbe, espace
que nous formons largués l'un dans l'autre

Parle-moi

Parle-moi parle-moi de toi parle-moi de nous
j'ai le dos large je t'emporterai dans mes bras
j'ai compris beaucoup de choses dans cette époque
les visages et les chagrins dans l'éloignement
la peur et l'angoisse et les périls de l'esprit
je te parlerai de nous de moi des camarades
et tu m'emporteras comblée dans le don de toi

Jusque dans le bas-côté des choses
dans l'ombre la plus perdue à la frange
dans l'ordinaire rumeur de nos pas à pas
lorsque je rage butor de mauvaise foi
lorsque ton silence me cravache farouche
dans de grandes lévitations de bonheur
et dans quelques grandes déchirures
ainsi sommes-nous un couple
toi s'échappant de moi
moi s'échappant de toi
pour à nouveau nous confondre d'attirance
ainsi nous sommes ce couple ininterrompu
tour à tour désassemblé et réuni à jamais

Frêle frileuse

Frêle frileuse femme qui vas difficilement
(son absence fait mal en creux dans ton ventre)
d'un effort à l'autre et dans l'espérance diffuse
tiens debout en vie aux souffles des nécessités

diaphane fragile femme belle toujours d'une flamme
de bougie, toi aussi tu as su, tes yeux s'effarent
(l'humidité de l'ennui, ta fraîcheur qui s'écaille)
patiente amoureuse femme qui languis de cet homme

mince courageuse femme qui voiles ton angoisse
(tu oublies ses rencontres, ses liens clandestins)
sans toujours le vouloir il te mêle à sa souffrance
ce monde qui nous entoure auquel ses bras se donnent

la justice est-il écrit est l'espoir de l'homme
(il se mépriserait lui-même du mépris qu'on lui porte)
elle pense : c'est en toi qu'est ancrée ma présence
il pense : c'est par elle unanime que je possède ma vie

Ce que la mer

Ce que la mer chante à des milles d'ici
la force de ton ventre, le besoin absolu
de m'ériger en toi
voici que mes bras de mâle amour s'ébranlent
pour les confondre en une seule étendue

Ce que la terre dans l'alchimie de ses règnes
abandonne et transmue en noueuses genèses
de même je l'accomplis en homme concret
dans l'arborescence de l'espèce humaine
et le destin qui me lie à toi et aux nôtres

Si j'étais mort avant de te connaître
ma vie n'aurait jamais été que fil rompu
pour la mémoire et pour la trace
je n'aurais rien su de mon corps d'après la mort
ni des grands fonds de la durée
rien de la tendresse au long cours de tes gestes
cette vie notre éternité qui traverse la mort

et je n'en finis pas d'écouter les mondes
au long de tes hanches...

Le camarade

Camarade tu passes invisible dans la foule
ton visage disparaît dans la marée brumeuse
de ce peuple au regard épaillé sur ce qu'il voit
la tristesse a partout de beaux yeux de hublot

tu écoutes les plaintes de graffiti sur les murs
tu touches les pierres de l'innombrable solitude
tu entends battre dans l'ondulation des épaules
ce cœur lourd par la rumeur de la ville en fuite

tu allais au rendez-vous inconnu de la mort
tandis qu'un vent souterrain tonnait et cognait
pour des années à venir
dans les entonnoirs de l'espérance

qui donc démêlera la mort de l'avenir

Le salut d'entre les jours

à Pierre Vallières et Charles Gagnon

Je vous salue clandestins et militants, hommes
plus grands pour toujours que l'âge de vos juges

    camarades,

votre pas dans les parages encore incertains
de ces jours de notre histoire où vous alliez
touchant le fond âpre, l'étendue panique
de l'abandon des nôtres par qui nous savons

    camarades,

comme arbre avec un arbre, mur avec un mur
comme souffle dans le jour et nuit dans la nuit
parmi les révélations souterraines de la colère
parmi le déferlement des compassions noueuses
avec la peur et l'angoisse tenues sous le regard
marqués par le scandale du dérisoire embrasement
de ceux qui changent la honte subie en dignité
et l'espérance a fini de n'être que l'espérance

    camarades,

nombreux dans celui qui va seul au rendez-vous
avec notre nom et notre visage pour le monde
chacun dans chacun n'étant plus divisé en soi

Poèmes de l'amour en sursis

Seul et seule

Si tant que dure l'amour
j'ai eu noir
j'ai eu froid
tellement souvent
tellement longtemps
si tant que femme s'en va
il fait encore
encore plus noir
encore plus froid
tellement toujours
toujours tellement

Errant amour

Ainsi créatures de l'hallucinante dépossession
le brasier roule en mon corps tous les tonnerres
la démence atteint les plus hauts gratte-ciel
quels ravages de toi ma belle dans le vide de toi
tant ma peine débonde qu'il n'est plus d'horizon
arquebuses et arcs-en-ciel brûlent mes yeux noyés

ainsi je lutte à rebours contre réel et raison
ainsi je charbonne dans la nostalgie des places
ainsi jusqu'en mes froids les plus nocturnes
avec la folie lunaire qui t'emporte ma belle...

Au sortir du labyrinthe

Quand détresse et désarroi et déchirure
te larguent en la brume et la peur
lorsque tu es seule enveloppée de chagrins
dans un monde décollé de la rétine
alors ta souffrance à la mienne s'amarre, et pareils
me traversent les déserts de blancheur aiguë

Toi qui es mon amour dans l'empan de ma vie
ces temps nôtres sont durs parmi les nôtres
je tiens bon le temps
je tiens bon l'espérance
et dans cet espace qui nous désassemble
je brillerai plus noir que ta nuit noire

Ce qu'aujourd'hui tu aimes et que j'aime
comme hier habitée toujours tu m'aimeras
comme désormais désertée je t'aimerai encore
il nous appartient de tout temps à jamais
chacun de nous dans l'autre monde du monde

je ne mourrai plus avec toi
à la croisée de nous deux

Après et plus tard

Me voici de nouveau dans le non-amour sans espace
avec mon amour qui dévale tel le chevreuil atteint
et comme la marée se retire pour la dernière fois
avec ma vie incertaine et dépaysée de terrain vague
avec mon corps en cendres et mes yeux en dedans
ô amour, fille, avec encore un peu de ta chaleur dorée
le vent m'emporte dans les souffles de nulle part

Et plus tard dans cette rue où je m'égare
éparpillé dans mes gestes et brouillé dans mon être
tombant et me soulevant dans l'âme
toute la pluie se rassemble sur mes épaules
la tristesse du monde luit très lasse et très basse
mais toi passion des hautes flammes dans mes genoux
tu me ravages comme les tourmentes des forêts rageuses
et parfois je me traîne et parfois je rafale...

Mais même dans l'en-dehors du temps de l'amour
dans l'après-mémoire des corps et du cœur
je ne suis revenu ni de tout ni de rien
je n'ai pas peur de pleurer en d'autres fois
je suis un homme irrigué, irriguant
de nouveau je m'avance vers toi, amour, je te demande
passage, amour je te demande demeure

J'avance en poésie

La pauvreté anthropos

Ma pauvre poésie en images de pauvres
avec tes efforts les yeux sortis de l'histoire
avec tes efforts de collier au cou des délires
ma pauvre poésie dans tes nippes de famille
de quel front tu harangues tes frères humiliés
de quel droit tu vociferes ton sort avec eux
et ces charges de dynamite dans le cerveau
et ces charges de bison vers la lumière
lumière dans la gangue d'ignorance
lumière emmaillotée de crépuscule
n'est-ce pas de l'inusable espoir des pauvres
ma pauvre poésie avec du cœur à revendre
de perce-neige malgré les malheurs de chacun
de perce-confusion de perce-aberration
ma pauvre poésie dont les armes rouillent
dans le haut-côté de la mémoire
ma pauvre poésie toujours si près de t'évanouir
dans le gargouillement de ta parole
désespérée mais non pas résignée
obstinée dans ta compassion et le salut collectif
malgré les malheurs avec tous et entre nous
qu'ainsi à l'exemple des pauvres tu as ton orgueil
et comme des pauvres ensemble un jour tu seras
dans une conscience ensemble
sans honte et retrouvant une nouvelle dignité

Paris

Dans les lointains de ma rencontre des hommes
le cœur serré comme les maisons d'Europe
avec les maigres mots frileux de mes héritages
avec la pauvreté natale de ma pensée rocheuse

j'avance en poésie comme un cheval de trait
tel celui-là de jadis dans les labours de fond
qui avait l'oreille dressée à se saisir réel
les frais matins d'été dans les mondes brumeux

Art poétique

J'ai la trentaine à brides abattues dans ma vie
je vous cherche encore pâturages de l'amour
je sens le froid humain de la quarantaine d'années
qui déjà me glace en dedans, et l'effroi m'agite

je suis malheureux ma mère mais moins que toi
toi mes chairs natales, toi qui d'espérance t'insurges
ma mère au cou penché sur ton chagrin d'haleine
et qui perds gagnes les mailles du temps à tes mains

dans un autre temps mon père est devenu du sol
il s'avance en moi avec le goût du fils et des outils
mon père, ma mère, vous saviez à vous deux nommer
toutes choses sur la terre, ô mon père, ô ma mère

      j'entends votre paix
      se poser comme la neige...

Arrêt au village
(ou le dernier recours didactique)

J'ai souvent parlé avec des hommes devenus pauvreté
ils parlaient sachant de quoi il en retournait
de leur sort et du mauvais gouvernement au loin
ils avaient même une certaine grandeur farouche
dans le regard

jusqu'à ce jour-là je n'avais encore jamais parlé
avec des hommes sans pesanteur, plus étrangers
à nos présences que les martiens de notre terre
nos mots passaient à côté d'eux en la fixité parallèle
de leur absence

ce jour-là me poursuit comme ma propre fin
possible, un homme avec des yeux de courants d'air
dans le maintien inerte d'une exacte forme humaine
(je vois ces lueurs pourpres de coke dans leur main
j'entends ces craquements de chips entre leurs dents
et ce juke-box soulevant des ressacs engloutissant
d'un mur à l'autre)

cette vision me devance : un homme de néant
silence, avec déjà mon corps de grange vide, avec
une âme pareillement lointaine et maintenue minimale
par la meute vacante de l'aliénation, d'où parfois
d'un fin fond inconnu arrive une onde perceptible...

m'est témoin Paul-Marie Lapointe, en 1965, un soir
de pluie cafouilleuse
et de mer mêlées de tempête
                              en notre Gaspésie

La corneille

Corneille, ma noire
corneille qui me saoules
opaque et envoûtante
venue pour posséder ta saison et ta descendance

Déjà l'été goûte un soleil de mûres
déjà tu conjoins en ton vol la terre et l'espace
au plus bas de l'air de même qu'en sa hauteur
et dans le profond des champs et des clôtures
s'éveille dans ton appel l'intimité prochaine
du grand corps brûlant de juillet

Corneille, ma noire
parmi l'avril friselis

Avec l'alcool des chaleurs nouvelles
la peau s'écarquille et tu me rends
bric-à-brac sur mon aire sauvage et fou braque
dans tous les coins et recoins de moi-même
j'ai mille animaux et plantes par la tête
mon sang dans l'air remue comme une haleine

Corneille, ma noire
jusqu'en ma moelle

Tu me fais prendre la femme que j'aime
du même trébuchant et même
tragique croassement rauque et souverain
dans l'immémoriale et la réciproque
secousse des corps

Corneille, ma noire

En toute logique

Toi qui m'aimes au hasard de toi-même
toi ma frégate nénuphar mon envolée libellule
le printemps s'épand en voiliers de paupières
voyageuse d'air léger de rêves céréales
bariolée avec tes robes aux couleurs
de perroquets bizarres
lieu d'arc-en-ciel et de blason
tempête de miel et de feu et moi
braque et balai
cœur tonnant et chevauché
par le brouhaha des sens
ta poitrine d'étincelles vertige voltige
et dans nos cambrures et nos renverses
mon corps t'enhoule
de violentes délices à tes hanches
et à grandes embardées de chevreuil de kayak
le monde bascule trinque et culbute
toi ma gigoteuse
toi ma giboyeuse

mon accotée
ma tannante de belle accotée

tes cils retiennent de vacillantes douceurs

L'ombre de l'ombre

La mort trébuchera dans sa dernière moisson
nous ne sommes plus qu'un dernier brin d'herbe
en tête-à-tête avec la vie
puis le monde n'est plus qu'un souvenir de bulle

La mort trébuchera dans sa dernière moisson
la mort aux yeux de chavirements de ciel et terre
en petits coups des à-coups de vitesse aux manettes
au volant des roues
en petites gorgées de secousses de laveuse de chemins
carrossables
en petits élans de kayak en descente et culbute
et cascades et toboggan
la mort la mort acétylène en fanaux de nuit
un matin d'obus lilas
une fraîcheur d'éclair et de truite mouchetée
la mort au cri de girouette dans la gorge
la mort elle ne pèse que l'ombre de l'ombre
femme ô femme petites âmes petites vagues petites suites
de petits fracassements dans mes bras
de froissements de papier à cigarette
de feux doux s'épandant à l'infini du fini

et dans l'ombre de l'ombre de chaque nuit
dormir et s'aimer encore
ô dormir
fleurir ensemble

Le quatrième amour

Pour parler de toi à mes côtés
je retrouve ma voix pêle-mêle
la lévitation de ma force
et les jeux qui ne sont pas faits

Par ces temps nous traversons ensemble
avec fracas et beauté de nos âges
la déréliction intime et publique

Et je te porte sur toute la surface de mon corps
comme Lascaux
moi pan de mur céleste

Lieux communs

Personne n'y peut rien
mais les objets mais les choses
personne personne
mais il était une fois toutes les fois
jamais toujours et pourtant

océaniques

le nous de toi
le nous de moi

Foyer naturel

Ma belle folie crinière au vent
je m'abandonne à toi sur les chemins
avec les yeux magiques du hibou
parmi les fous fins fils du mal monde
parce que moi le noir
                      moi le forcené
    magnifique

Le Québécanthrope

Telle fut sa vie que tous pouvaient voir.

Terminus.

Dans l'autre vie il fut pauvre comme un pauvre
vrai de vrai dépossédé.

Oubliez le Québécanthrope
ce garçon qui ne ressemble à personne.

En une seule phrase nombreuse

Je demande pardon aux poètes que j'ai pillés
poètes de tous pays, de toutes époques,
je n'avais pas d'autres mots, d'autres écritures
que les vôtres, mais d'une façon, frères,
c'est un bien grand hommage à vous
car aujourd'hui, ici, d'un homme à l'autre,
et entre eux, il y a des mots qui sont
leur propre fil conducteur de l'homme,
merci.

Cinq courtepointes

1

Sentant la glaise
le sanglot
je m'avance ras
et gras, du pas
de l'escargot

à mon cou je porte
comme une amulette
un vertical néant

j'ai aussi, que j'ai
la vie comme black-out
sommeil blanc

C'est mon affaire
la terre et moi
flanc contre flanc

je prends sur moi
de ne pas mourir

Nous sommes dans nos cloisons
comme personne n'a d'idée là-dessus

sur un mur le corps s'imprime
les yeux se font soupiraux

les yeux voient par en dedans
à travers la tête éparse

monter le mercure de l'usure

mais je sais qu'elle y est
la lumière au recto des murs

elle travaille pour nous

un jour les murs auront mal
et ce qui adhère

nous verrons comment c'est dehors

C'est à voir
l'homme
le doigt dessus

aujourd'hui je m'avance
avec des preuves

Les mots nous regardent
ils nous demandent
de partir avec eux
jusqu'à perte de vue

Le monde ne vous attend plus
il a pris le large
le monde ne vous entend plus
l'avenir lui parle

2

Fragment de la vallée

Pays de jointures et de fractures
vallée de l'Archambault
étroite comme les hanches d'une femme maigre

diamantaire clarté
les échos comme des oiseaux cachés

sur tes pentes hirsutes
la courbure séculaire des hommes
contre la face empierrée des printemps montagneux

je me défais à leur encontre
de la longue lente prostration des pères

dans l'éclair racine nocturne
le firmament se cabre et de crête en crête
va la corneille au vol balourd

émouvante voix de balise

En Archambault

Cette terre dans mes épaules
cette branche qui dans ma voix bruit
c'est déjà, et encore l'hiver !
sa nuit de merveille et de misère noire dans le vent
et par le vent la trace
le miroitement

CHAGRIN

Le temps et l'avalanche
hiver comme un mort qui bleuit
la sainte folie
reste écrouée
dans ma face hurlante et baignante
en bruits de fleurs de givre
la vie se vide
et dans l'enclos du chagrin
les bêtes à cornes
haleine rompue repassent

EN OUTAOUAIS

Terre encore, terre éprise !
les hauteurs de la nuit s'éloignent
dans l'aura des montagnes violettes...
et d'entre les neiges
tes os à fleur de sol
où par les friches de l'aube
tu dégaines le printemps

DANS MES ARPENTS D'YEUX

Enfin je peux te regarder face à face
dans le plus végétal maintien de l'espace
terre tour à tour taciturne et tourmenteuse
terre tout à la fois en chaleur et frileuse
pour qu'un jour enfin je repose
dans ton envolée la plus basse...

3

Rue Saint-Christophe

Je vis dans une très vieille maison où je commence
à ressembler aux meubles, à la très vieille peau
des fauteuils
peu à peu j'ai perdu toute trace de moi sur place
le temps me tourne et retourne dans ses bancs de brume
tête davantage pluvieuse, ma très-très tête au loin

      (Etais-je ces crépitements
      d'yeux en décomposition
      étais-je ce gong du cœur
      dans l'errance de l'avenir
      ou était-ce ma mort invisible pêchant à la ligne
      dans l'horizon visible...

      cependant qu'il m'arrive encore des fois
      de plus en plus brèves et distantes
      de surgir sur le seuil de mon visage
      entre chaleur et froid)

Félicité

Félicité Angers que j'appelle, Félicité où es-tu
toi de même tu n'as pas de maison ni de chaise
tu erres, aujourd'hui, tel que moi, hors de toi
et je m'enlace à toi dans cette pose ancienne

qu'est-ce qu'on ferait, nous, avec des mots
au point où nous en sommes, Félicité, hein ?

toutes les femmes, Félicité, toutes encore
rien n'a changé comme en secret tu l'appelas

111

LE VIEIL OSSIAN

Certains soirs d'hiver, lorsque, dehors,
comme nouvellement
l'espace est emporté ici et là avec des ressacs
de branches,
avec des rues, des abattis de poudrerie,
puis, par moments,
avec de grands cratères de vide au bout du vent
culbuté mort,
il fait nuit dans la neige même
les maisons voyagent chacune pour soi

et j'entends dans l'intimité de la durée
tenant ferme les mancherons du pays
le vieil Ossian aveugle qui chante dans les radars

4

DOUBLURE D'UN COMBAT

A bout portant, partout et tout l'temps
pas de temps pour le beau mot, pas de temps
pour l'extase, le scintillement, le tour noble
ces jeux qui ourleraient si bien la poésie

> hara !
> hara !
> kiri
> la poésie

pas de temps, le temps est au plus mal, la vie
va vite, à chaud, à vau-l'eau, en queue d'veau
et la mort est vaste, la mort en tas menace

> pis v'lan !
> pis tapoche !
> pis couic
> la poésie

pas de temps pour le temps, le temps nous manque
faut ce qu'il faut : tirer juste, et juste à temps
à bout portant, partout et tout l'temps

DE CONTRE

Le mal de
le mal de tête
de long
de court
de travers et à l'envers

de toutes sortes de
mais surtout de
dès ma sortie
de
ma tête de tête
en quelles verdures en quelles neiges
où était ma tête
en ces jours de
ma tête de moi
ma tête à qui ma tête à quoi
ma tête à nous peut-être

toujours est-il que de
dans l'horizontale haleine
avec ma tête effalée
puis ma tête affalée
le temps de
m'entête
et l'affaire de
dont c'est la fin des temps de
ce mal de
ce mal de tête
tête à ci tête à ça
de ci de ça
comme de
le dernier forçat de forçat

à force de
tête
de contre

DEMAIN, L'HISTOIRE

Triste pareil à moi il ne s'en fait plus
je regarde ce peuple qui va bientôt mourir
triste ainsi qu'il n'est plus possible
de l'être autant

personne ici ne meurt de sa belle mort

c'est un peu de nous tous en celui qui s'en va
et c'est en celui qui naît un peu de nous tous
qui devient autre

toi aussi tu seras triste un jour Humanité
mal tu auras dans les os certains siècles
le mal fantôme dans la vacance historique
de l'origine

Hommes
l'Histoire ne sera peut-être plus
retenez les noms des génocides
pour qu'en votre temps vous n'ayez pas les vôtres
hommes
il faut tuer la mort qui sur nous s'abat
et ceci appelle l'insurrection de la poésie

5

Et ce fut lorsqu'il vint
un oiseau d'éternité
qui longtemps se changea en crépuscule

cet oiseau aujourd'hui
avec la mémoire venue d'ailleurs
il vole dans les pas de l'homme

derrière la herse des soleils

Inutile de rebrousser vie
par des chemins qui hantent les lointains
demain nous empoigne dans son rétroviseur
nous abîmant en limaille dans le futur déjà

et j'ai hâte à il y a quelques années
l'avenir est aux sources

(Où, quand ?) il arrive quand même
qu'une femme émerge de sa blancheur
dans les parages de l'éternité passagère
malgré l'horizon plus bas que notre monde

le temps (lorsque) de naître
éphémère éternité

Par cet hiver qui exulte

dans la chasse-galerie des paroles
ici et là l'errance immobile
sur la trame de l'insu soudaine
où s'allume la lignée d'ancêtres

Dans le regard d'enfance
l'horizon du futur antérieur...

l'éternité aussi a des racines
éternité (éternité)
jusque dans l'héritage demain
ma Fou de bassan des yeux

dans l'âge plus nu
que la plus que pierre opaque

J'ai enfin rejoint mes chemins naturels
les paysages les bordant en sens contraire

j'avance quelques mots...
quelqu'un les répète comme son propre écho

dans la floraison du songe
Emmanuelle ma fille
je te donne ce que je réapprends

Notes
sur le poème et le non-poème

Je parle seulement pour moi et quelques autres
puisque beaucoup de ceux qui ont parole
se déclarent satisfaits.
VOYEZ LES MANCHETTES.

Je parle de CECI.
CECI, mon état d'infériorité collectif. CECI, qui
m'agresse dans mon être et ma qualité d'homme espèce
et spécifique. En dehors tout ensemble qu'en dedans.
Je parle de ce qui sépare. CECI, les conditions qui me
sont faites et que j'ai fini par endosser comme une
nature. CECI, qui sépare le dedans et le dehors en en
faisant des univers opaques l'un à l'autre.

oui, à jacques berque

CECI est agonique
CECI de père en fils jusqu'à moi

Le non-poème
c'est ma tristesse
ontologique
la souffrance d'être un autre

Le non-poème
ce sont les conditions subies sans espoir
de la quotidienne altérité

Le non-poème
c'est mon historicité
vécue par substitutions

121

Le non-poème
c'est ma langue que je ne sais plus reconnaître
des marécages de mon esprit brumeux
à ceux des signes aliénés de ma réalité

Le non-poème
c'est la dépolitisation maintenue
de ma permanence

Or le poème ne peut se faire
que contre le non-poème
ne peut se faire qu'en dehors du non-poème
car le poème est émergence
car le poème est transcendance
dans l'homogénéité d'un peuple qui libère
sa durée inerte tenue emmurée

Le poème, lui, est debout
dans la matrice culture nationale
il appartient
avec un ou dix mille lecteurs
sinon il n'est que la plainte ininterrompue
de sa propre impuissance à être
sinon il se traîne dans l'agonie de tous

(Ainsi je deviens
illisible aux conditions de l'altérité
— What do you want ? disent-ils —
ainsi je deviens
concret à un peuple)

Poème, je te salue
dans l'unité refaite du dedans et du dehors
ô contemporanéité flambant neuve
je te salue, poème, historique, espèce
et présent de l'avenir

Le poème, ici, a commencé
d'actualiser
le poème, ici, a commencé
d'être souverain

Je me hurle dans mes harnais. Je sais ce que je sais, CECI, ma culture polluée, mon dualisme linguistique, CECI, le non-poème, qui a détruit en moi jusqu'à la racine l'instinct même du mot français. Je sais, comme une bête dans son instinct de conservation, que je suis l'objet d'un processus d'assimilation, comme homme collectif, par la voie légaliste (le statu quo structurel) et démocratique (le rouleau compresseur majoritaire). Je parle de ce qui me regarde, le langage, ma fonction sociale comme poète, à partir d'un code commun à un peuple. Je dis que la langue est le fondement même de l'existence d'un peuple, parce qu'elle réfléchit la totalité de sa culture en signe, en signifié, en signifiance. Je dis que je suis atteint dans mon âme, mon être, je dis que l'altérité pèse sur nous comme un glacier qui fond sur nous, qui nous déstructure, nous englue, nous dilue. Je dis que cette atteinte est la dernière phase d'une dépossession de soi comme être, ce qui suppose qu'elle a été précédée par l'aliénation du politique et de l'économique. Accepter CECI c'est me rendre complice de l'aliénation de mon âme de peuple, de sa disparition en l'altérité. Je dis que la disparition d'un peuple est un crime contre l'humanité, car c'est priver celle-ci d'une manifestation différenciée d'elle-même. Je dis que personne n'a le droit d'entraver la libération d'un peuple qui a pris conscience de lui-même et de son historicité.

En CECI le poème se dégrade. En CECI le poème prend tous les masques d'une absence, la nôtre-mienne. Mais contestant CECI, absolument, le poème est genèse de présence, la nôtre-mienne. En CECI, le poème s'essaie, puis retombe dans l'enceinte de son en-deçà. O poème qui s'essaie, dont la langue n'a pas de primo-vivere, poème en laisse, pour la dernière fois je m'apitoie sur toi, avec nos deux siècles de saule pleureur dans la voix.

Mon poème
comme le souffle d'un monde affalé contre sa mort
  qui ne vient pas
  qui ne passe pas

qui ne délivre pas
comme une suite de mots moribonds en héritage
comme de petits flocons de râles aux abords des
lèvres
comme dans les étendues diffuses de mon corps
mon poème
entre haleine et syncopes
ce faible souffle phénix d'un homme cerné d'irréel
dans l'extinction de voix d'un peuple granulé
dans sa déréliction pareille aux retours des saisons
une buée non repérable dans le miroir du monde
mon poème
ce poème-là
paix à tes cendres

l'amnésie de naissance

Où en suis-je en CECI ? Qu'est-ce qui se passe en
CECI ? Par exemple je suis au carrefour Sainte-Cathe-
rine et Papineau, le calendrier marque 1964, c'est un
printemps, c'est mai. CECI, figé, avec un murmure de
nostalgie, se passe tout aussi bien en 1930 qu'en 1956.
Je suis jeune et je suis vieux tout à la fois. Où que je
sois, où que je déambule, j'ai le vertige comme un fil à
plomb. Je n'ai pas l'air étrange, je suis étranger. Depuis
la palpitation la plus basse de ma vie, je sens monter
en moi les marées végétales et solaires d'un printemps,
celui-ci ou un autre, car tout se perd à perte de sens
et de conscience. Tout est sans contours, je deviens
myope de moi-même, je deviens ma vie intérieure exclusivement. J'ai la connaissance infime et séculaire de
n'appartenir à rien. Je suis suspendu dans le coup de
foudre permanent d'un arrêt de mon temps historique,
c'est-à-dire d'un temps fait et vécu entre les hommes,
qui m'échappe ; je ne ressens plus qu'un temps biolo-
gique, dans ma pensée et dans mes veines. Les autres,
je les perçois comme un agrégat. Et c'est ainsi depuis
des générations que je me désintègre en ombelles souf-

flées dans la vacuité de mon esprit, tandis qu'un soleil blanc de neige vient tournoyer dans mes yeux de blanche nuit. C'est précisément et singulièrement ici que naît le malaise, qu'affleure le sentiment d'avoir perdu la mémoire. Univers cotonneux. Les mots, méconnaissables, qui flottent à la dérive. Soudain je veux crier. Parfois je veux prendre à la gorge le premier venu pour lui faire avouer qui je suis. Délivrez-moi du crépuscule de ma tête. De la lumière noire, la lumière vacuum. Du monde lisse. Je suis malade d'un cauchemar héréditaire. Je ne me reconnais pas de passé récent. Mon nom est « Amnésique Miron ».

Le monde est noir puis le monde est blanc
le monde est blanc puis le monde est noir
entre deux chaises deux portes ou chien et loup
un mal de roc diffus rôdant dans la carcasse
le monde est froid puis le monde est chaud
le monde est chaud puis le monde est froid
mémoire sans tain
des années tout seul dans sa tête
homme flou, cœur chavirant, raison mouvante

comment faire qu'à côté de soi un homme
porte en son regard le bonheur physique de sa terre
et dans sa mémoire le firmament de ses signes

beaucoup n'ont pas su, sont morts de vacuité
mais ceux-là qui ont vu je vois par leurs yeux

la dénonciation

Je sais qu'en CECI ma poésie est occultée
en moi et dans les miens
Je souffre dans ma fonction, poésie
Je souffre dans mon matériau, poésie
CECI est un processus de dé-création
CECI est un processus de dé-réalisation

Je dis que pour CECI il n'est pas possible que je sois tout un chacun coupable. Il y a des complicités inavouées. Il n'est pas possible que tout le monde ait raison en même temps. Il y a des coupables précis. Nous ne sommes pas tous coupables de tant de souffrance sourde et minérale dans tous les yeux affairés, la même, grégaire. Nous ne sommes pas tous coupables d'une surdité aussi générale derrière les tympans, la même, grégaire. D'une honte et d'un mépris aussi généralement intériorisés dans le conditionnement, les mêmes, grégaires. Il y a des coupables. Connus et inconnus. En dehors, en dedans.

Longtemps je n'ai su mon nom, et qui j'étais, que de l'extérieur. Mon nom est « Pea Soup ». Mon nom est « Pepsi ». Mon nom est « Marmelade ». Mon nom est « Frog ». Mon nom est « dam Canuck ». Mon nom est « speak white ». Mon nom est « dish washer ». Mon nom est « floor sweeper ». Mon nom est « bastard ». Mon nom est « cheap ». Mon nom est « sheep ». Mon nom... Mon nom...

En CECI le poème n'est pas normal
L'humiliation de ma poésie est ici
une humiliation ethnique
Pour que tous me voient
dans ma transparence la plus historique
j'assume, devers le mépris,
ce comment de mon poème
où il s'oppose à CECI, le non-poème.

La mutilation présente de ma poésie, c'est ma réduction présente à l'explication. En CECI, je suis un poète empêché, ma poésie est latente, car vivant CECI j'échappe au processus historique de la poésie. Dites cela en prose, svp ! You bet !

mais cette brunante dans la pensée
même quand je pense
c'est ainsi

par contiguïté, par conglomérat
par mottons de mots
en émergence du peuple
car je suis perdu en lui et avec lui
seul lui dans sa reprise
peut rendre ma parole
intelligible
et légitime

J'écris ces choses avec fatigue, comme celui qui disait être « las de ce monde ancien ». De ces régions de mon esprit comme du bois qui craque dans le froid. Les régions exsangues. Dans l'incohérence qui me baigne de part en part, aux prises avec la confusion de mes vocables les plus familiers, en proie à la perversion sémantique à l'échelle de toute une langue. Dans le refoulement constant dans mon irrationalité dans laquelle CECI me rejette à tout moment. Dans le malheur commun quand le malheur ne sait pas encore qu'il est malheur. Je l'écris pour mémoire. Comme étant transitoire. Je l'écris pour attester que CECI, le non-poème, a existé et existe encore ; que CECI, le non-poème, est né par qui nous savons, par qui l'histoire saura. Pour dire et donner voix au muet.

Comment dire ce qui ne peut se confier ? Je n'ai que mon cri existentiel pour m'assumer solidaire de l'expérience d'une situation d'infériorisation collective. Comment dire l'aliénation, cette situation incommunicable ? Comment être moi-même si j'ai le sentiment d'être étranger dans mon objectivité, si celle-ci m'apparaît comme opaque et hostile, et si je n'existe qu'en ma subjectivité ? Il appartient au poème de prendre conscience de cette aliénation, de reconnaître l'homme carencé de cette situation. Seul celui-là qui se perçoit comme tel, comme cet homme, peut dire la situation. L'œuvre du poème, dans ce moment de récupération consciente, est de s'affirmer solidaire dans l'identité. L'affirmation de soi, dans la lutte du poème, est la réponse à la situation qui dissocie, qui sépare le dehors et le dedans. Le poème refait l'homme.

Et CECI, qui est ma parenthèse, est anté-historique au poème.

CECI, aujourd'hui, parce que le poème a commencé d'être souverain, devient peu à peu post-colonial.

En conséquence de quoi, je vais jusqu'au bout dans la démonstration monstrueuse et aberrante. Je mets en scène l'aliénation, je me mets en scène. Aujourd'hui je fais UN boulot, par suppléance, mais demain je ferai MON boulot, qui est d'écrire des poèmes. Aujourd'hui je mène un combat contre les dernières survivances de mon irréalité. Le poème est irréversible. Je vais jusqu'au bout dans la démission de ce que les auteurs de CECI (du dedans comme du dehors) ont voulu que je sois et que j'ai fini, mystifié, par vouloir. Je déboulonne la mystification. Je ne trahis pas la poésie, je montre son empêchement, son encerclement. Ainsi je la sers en vérité, ainsi je la situe dans son processus. Les pharisiens ne pardonneront jamais à ma poésie d'avoir eu honte AVEC tous, en esprit et en vérité, au lieu DE tous. D'avoir eu honte dans l'homme concret — ses conditions de vie, sa quotidienneté, la trame de ses humiliations — et non pas dans l'homme abstrait, éternel.

Je dresse l'acte de mon art pré-poétique. Je me fais immédiatement comestible, immédiatement périssable.

Dans la pratique de ma vie quotidienne
je me fais didactique à tous les coins de rue
je me fais politique dans ma revendication totalisante
dans la pratique de mon art
je me fais utopique à pleines brasses vers ma nouvelle
    réalité

128

en deçà de l'espoir agonique
au-delà du désespoir agonique
je me fais idéologique (je n'avoue pas, je refuse que
    CECI soit le normal, soit l'ordre social naturel)
je me fais éthique (je ne consens en rien à l'oppression
    qui m'est faite, je me vis radical)
je me fais dialectique (néanmoins j'assume cette
    condition pour la détruire et postuler ce que je
    veux être)
les réactionnaires auront beau crier
à la contre-révolution
pour leur plus grand scandale
or, donc, par conséquent, par tous les joints de la
    raison qui me reste
je me fais slogan
je me fais publiciste et propagandiste
mais je braque
je spotte

le poème ne peut se faire que contre le non-poème
le poème ne peut se faire qu'en dehors du non-poème.

Circonstances

Note d'un homme d'ici

Puisqu'il n'y a pas moyen d'y échapper, étant donné cette légende que je suis pour la petite « gang », étant donné ce malentendu, cette équivoque en moi et autour de moi, allons-y donc pour une « note » et au nom de tout ce que vous voudrez — ou de rien. Parce que je suis toujours au bord de la misère physiologique et mentale, qui voudra me croire, même de mes amis intimes, quand moi-même n'y comprends rien à Miron, quand moi-même, faute de prise sur le réel, suis incapable de saisir ce qui se passe. Et pourquoi cette pratique honnête de l'individu Miron par lui-même, et pourquoi dans le même temps ce détournement de fonds de lui-même par lui-même ? Toute ma vie, et jusque dans mes motivations les moins avouables, j'ai essayé que cesse le jeu que je me joue et que je joue, afin que, si homme il y a, celui-ci devienne non plus spectateur et acteur, mais le lieu de la tragédie. Tout cela m'est apparu quand je n'avais encore que sept ans, alors qu'un de mes petits camarades me déchira le masque que je portais à l'occasion d'une mascarade de mardi gras. Aujourd'hui, je m'échine à demander aux autres qu'ils m'aident à ne plus jouer. Finissons-en avec le Miron poète qui n'a rien produit, et qui ne veut rien produire à l'avenir. Mais voilà, mon cabotinage de dix ans de vie montréalaise m'est retourné. Comment n'a-t-on point vu, dans ces exhibitions dérisoires, l'énorme caricature que je me servais ?

Le cabotinage fut la seule solution possible à mon mal ; il faisait, par ailleurs, partie de mon plan, il était un moyen d'action. Hélas, il n'a fait qu'empirer les choses. Ce fut un échec. Ce fut aussi mon knock-out poétique. Là aussi l'image (la métaphore) était inventée, vue, et non pas vécue. Dans ces conditions, la poésie devenait, en mon for intérieur, une fuite, une voie d'évitement.

Je ne suis pas loin de croire que l'individu Miron est une maladie. (Si un psychanalyste veut m'entreprendre, à ses frais, risques et périls, qu'il communique avec moi.) Ce n'est pas le fait de mon cabotinage éhonté si je me trouve dans l'impossibilité de ne parler que de moi, pas plus qu'il n'est question d'égotisme. Il se trouve que, n'ayant jamais pu transcender ce que je suis, la pensée n'est jamais parvenue chez moi à émerger de ma matière physiologique et psychique. Le drame, le mal, la maladie, c'est qu'il n'y eut à aucun moment un effondrement de l'être. Celui-ci fut toujours présent aux niveaux les plus inférieurs de ses manifestations. Même privé de mes facultés intellectuelles, il était là, immanent et empirique, donnant ou recevant les coups. Je souffre donc d'une amnésie partielle ou intermittente de la pensée — non de la mémoire, laquelle enregistre fidèlement, d'où l'atroce. Quand je m'essaie, comme tout le monde, à la logique du raisonnement, comme à la dialectique de la vie, de la poétique ou du dialogue avec autrui, il arrive à tout moment que le courant (électrique) vienne à me manquer. Ce sont les trous noirs de mon esprit (mon esprit, cette passoire), ce qui faisait dire à Gilles Leclerc, au cours d'une conversation où je titubais sur mes néants, que j'avais des taches solaires sur le cerveau. Je me rends bien compte, quand la lucidité réapparaît, que durant ces périodes il s'est passé du temps et des événements, intérieurs ou extérieurs, et que je ne suis plus de la même durée et du même réel que les autres, que l'interlocuteur du moment. (Et je ne parle pas de la difficulté, de l'impossibilité, en ces états quasi endémiques, d'accéder au mot, au verbe, à une articulation syntaxique qui est le fait d'une pensée distincte de sa matière sécrétoire et de ses instruments.)

Maintenant que vous avez votre note, maintenant que je suis fatigué et las de l'avoir écrite, et que j'en ai pour dix jours avant de m'en remettre, sachez que tout écrit de moi, autre que cette maudite note, qui paraîtrait dans ce cahier le sera contre mon gré. Si inconsistant que je sois. Malgré mes dénégations et mes revirements. Si agoniquement perpétuelle que soit ma pensée. (Si j'étais seul, s'il n'en dépendait que de moi seul, il en serait sans doute autrement.) Je veux encore ajouter : j'aime mieux mourir avec le plus grand nombre que de me sauver avec une petite élite, ou des élites qui ne seraient que qualitatives. Je le dis pour tous ceux qui ont la frousse constante de paraître béotiens.

Aliénation délirante

*Il est ti flush lui... c'est un blood man... watch out à
mon seat cover... c'est un testament de bon deal...*

voici me voici l'unilingue sous-bilingue voilà comment
tout commence à se mêler à s'embrouiller c'est l'éche-
veau inextricable

*Je m'en vas à la grocerie... pitche-moi la balle... toé
scram d'icitte... i t'en runne un coup...*

voici me voici l'homme du langage pavlovien les réflexes
conditionnés bien huilés et voici les affiches qui me
bombardent voici les phrases mixtes qui me sillonnent
le cerveau verdoyant voici le garage les banques l'im-
pôt le restaurant les employeurs avec leurs hordes et
leurs pullulements de nécessités bilingues qui s'incrus-
tent dans la moelle épinière de l'espace mental du
langage et te voici dans l'engrenage et tu attrapes l'aliénation et tu n'en sortiras qu'à coup de tortures des
méninges voilà comment on se réveille un bon jour vers
sa vingtième année infesté cancéreux qui s'ignore et ça
continue

*Passe-moi le lighter... j'ai skidé right back... le dispat-
cher m'a donné ma slip pour aller gaser... donne-moé le
wrench que je spère le signe... toé t'es un mental... j'ai
quand même envie d'un good score... ces maudits-là i
vont faire rire de nus autes... aie sir you speak french
pour l'amour du bon dieu vous pourriez pas me passer
dix cennes garantie c'est pas pour un verre de bière c'est
pour manger... encore un verrat de bloke qui parle pas
françâ sus la djobe... j'te dis que j'te l'ai squeezée pis
neckée à mort... monsieur c'est vrai chus pas capable de*

137

parler anglais avec les clients mais chus capable de don-
ner mes ordres en anglais au cook prenez-moé comme
waitrisse... on s'est entendu full top... maudit locké ç'a
m'arriverait pas une shot de fois à moé...

ainsi le temps s'abolit ainsi l'éternité fait irruption dans
l'instant ainsi je ne vis pas une histoire je ne suis pour
ceux qui font l'histoire à l'étage supérieur qu'une maladie du soubassement dont ils souffrent depuis un certain temps deux siècles environ je crois une maladie
naguère bénigne sais pas j'essaie de voir quelque chose
de temps en temps comme une démangeaison mais
aujourd'hui qui se manifeste et culmine en abcès de
fixation de sorte qu'il est temps estiment-ils d'en faire
l'ablation ou quelque chose d'équivalent ce quelque
chose qui peut-être surprendra la maladie elle-même
ainsi la maladie se résorbera dans la déglutition des
grands ensembles

alors tout finit par chambranler autour de toi puis c'est
la grande rasade la grande débarque la grande galope la
grande toupie la grande tombée dans les pâmes de
l'irrationnel tu marches tu vires il n'y a plus rien de
repérable plus de points cardinaux tu regardes le ciel
et la terre à l'endroit ou à l'envers et c'est tout comme
il n'y a plus ni forces centrifuges ni centripètes

alors l'univers t'appartient tu es fils de l'universel tu
n'as plus terre lieu ni feu et tu t'affirmes universel en te
niant et tout est cotonneux blanc gros sel et lisse verre
polarisé et alors tu commences à faire de la littérature
à cause des mirages et tu vois l'Homme et tu vois la
Personne Humaine et tu vois ses Attributs universels
et tu vois la Culture indépendamment des accidents
ethniques géographiques ou religieux et tu vois les
Tâches sans attaches ni matrice ni homogénéité et tu
vois les Critères humains et tu vois la Politique Fonc-
tionnelle flotter sur le crâne chenu du bel univers har-
monisé et tu vois pour ton compte se lever les couchers
de soleil de la beauté et les oiseaux et les fleurs faire

cui-cui et belles hampes avec corolles à cinq rangées dans tes vers et tu vois que tu oublies les Priorités c'est-à-dire les trous de printemps dans les rues et la loi des coroners de quinze ans traînant la patte parce qu'il va de soi que tu ne peux résoudre les problèmes qu'en queu leu leu consécutivement contigument c'est-à-dire les trous dans les rues et la loi des coroners de sorte qu'il faut commencer par ça de sorte que « tout ce qui est une vue partielle ne peut être absolument bon ni pour la même raison absolument mauvais » et tu vois que tu meurs par le tout et tu vois que tu ne te vois plus

alors tu te mets à te chercher à belles dents mais tu n'as plus de dents et tandis que d'autres ont le retard de leur avance toi tu es toujours en retard d'un rattrapage et alors tu plonges dans ta peau de peau et tu touches du doigt que tu es dans l'eau salée qui défait les chairs dans un acide qui corrode les plus résistants dans un périple de générations dans une entreprise d'élevage en série pour la fonction et que tu disparais dans la densité et le nombre indifférenciés dans l'informe l'incertain le vague tandis que pérorent toujours au-dessus du magma les CATÉGORIES ci-devant énoncées par les spécialistes d'usage et tu touches du doigt s'il t'en reste l'occultation par lesdites CATÉGORIES de ce dans quoi tu te meus c'est-à-dire tes déterminations et ta spécificité parce qu'elles nient celles-ci et tu touches de ton moignon qu'elles suppriment l'un des termes de la dialectique de sorte que tu es tranquille sans antagonismes et sans tensions, sans tragique et sans destin et tu touches avec ton moignon raccourci que tu ne peux dire qui tu es et que par conséquent personne autre que toi ne sait comment tu te perçois dans l'amplification de la trame sonore de l'existentiel pas plus que les autres cellules tenues étanches de la reproduction collective et alors tu t'évades par la calotte dans un salut personnel où tu rejoins les quelques autres avec tous les attributs et les critères humains universels

alors tu ré-entends parler de la Personne Humaine tu entends un nommé Dean Rusk demander aux peuples

139

libres qui croient en cette même Personne et en ses Droits inaliénables de resserrer le blocus autour de Cuba « économiquement, politiquement et spirituellement » et tu entends un certain Cabot Lodge protester au nom encore de cette même Personne et de ses mêmes Droits de la sauvagerie de la barbarie d'un attentat du Vietcong contre trois innocents officiers américains et qui demande aux peuples libres de condamner de telles méthodes et tu lis dans ton journal qu'un avion vietnamien sur le conseil des civilisés a rasé au napalm un village de ce pays repère de vermine et qu'il n'est pas resté de survivants et toi tu en conclus que ces gens-là ne font pas partie de l'Humanité et qu'ils n'ont pas de Personne Humaine et toi tu en viens quelque part dans ta pensée polluée de dualisme de langage depuis la formation de ton psychisme premier à te demander si c'est bien de la même Personne Humaine que se réclament les spécialistes d'usage de chez nous et toi tu ne sais plus quoi penser ni qui tu es et si tu as une Personne Humaine et laquelle si c'est oui

alors ce coup de lucidité agit comme un coup de bambou et tu t'acharnes et décharnes tu es la proie de l'osmose tu oscilles tu déraisonnes tu délires tes bras frappent l'air comme ceux des moulins à vent tu deviens un monceau de tics un paquet traumatisé tu fais eau de toutes parts tu es traversé de part en part tu te sens mal de pis en pis sombrer désintégrer t'enliser sans prise tu es médiocre inférieur les peurs les fantasmagories le dégoût la nausée le pot au noir du désespoir tu entends des voix tu fais le con le pitre la risée et tu n'es plus que deux yeux de grenouille à la surface de l'étang et tu n'es plus tout court tandis que les subtiles effluves de l'agression t'enveloppent tournoient s'insinuent et à la fin dans ton histoire qui n'a ni commencement ni fin tu te suicides sans mourir comme un lemming dans l'infini et la densité de l'inconsistance fluide et non caractérisée sinon par la négation de toute caractérisation et alors donnant naissance à une autre cellule en tous points pareille à ce que tu ne fus jamais et qui parcourra les mêmes états intermédiaires et tronqués sans vraiment se posséder et se concevoir et pouvoir se vivre comme expérience connaissance spécificité identité destinée et universalité tandis que tu t'avances titubant de plus en plus dans la plus gigantesque saoulerie d'irréel ô mon schizophrène dans le plus fantomatique des mondes et tu n'es plus qu'une fonction digestive à l'échelle de ta vie

ne dépassez pas quand arrêté... pharmacie à prix coupés... balancement des roues... saveur sans aucun doute... coinwash... Canadian Acceptance Co... City & District Savings Bank... Shoe Fox... Hot smoked meat... Albert's Men's Wear... Bed's Furniture... National Meat Market... Nous vous remercions de votre patronage... Monnaie exacte... Limites légales...

Un long chemin

Tout écrivain conscient de sa liberté et de sa responsabilité sait qu'il doit écrire souvent *contre* lui-même. Il doit gagner sans relâche sur ses passions, sur ses scandales, sur sa mauvaise foi et sur ses préjugés de classe (puisque les schèmes de la culture sont encore bourgeois [1]).

Quand les conditions objectives d'une action n'existent pratiquement pas, comme ce fut longtemps le cas ici, l'écrivain colonisé, lui, en plus de devoir gagner sur soi, écrit le plus souvent *contre* nature, et c'est pourquoi, tournant en rond dans sa situation impossible, la parole lui est atroce, douloureuse. A moins que, éludant sa situation et la problématique qu'elle pose, il ne se fasse transfuge, ou évadé de lui-même, ou objet de dérision ou d'autodestruction.

Cela m'est arrivé. J'ai cédé, de par la force des choses et par ignorance, à ces deux oscillations désespérées. Avec des retours de paludisme littéraire, encore aujourd'hui, tant m'ont marqué ces années.

C'est vers les années 1954-1956 que j'ai commencé de me percevoir tel que j'étais objectivement [2], sans complaisance d'abord (*La Batèche*). La complaisance vint par la suite déguisée à mon insu sous la forme de la dérision ; j'estimais alors que la dérision, dans mon isolement, devenait mon seul recours, ma seule arme. Je mis le meilleur de moi-même à détruire ma condition de poète, à me caricaturer, à me ridiculiser, voire en

---

1. Sartre, dans *Qu'est-ce que la littérature ?*, a expliqué avec force cet aspect du travail de l'écrivain, dans le contexte plus vaste de sa situation dans la société et en liaison avec la fonction de la littérature.
2. Cette perception a d'abord été intuitive et située dans mon irrationalité.

public. Volontiers ce mélange de honte et de haine que je ressentais à mon égard, à l'égard de ce à quoi on me réduisait, je le retournais contre la poésie. Il n'y avait à mes yeux aucune commune mesure entre la condition de poète, qui me privilégiait pensais-je, et la condition humiliée de tous.

Quand j'eus commencé de me percevoir tel que j'étais objectivement, toute une part de ma réalité existentielle et concrète ressortit au phénomène colonial, phénomène qu'alors il était quasi impossible de saisir tant les apparences meurtrières et l'intégration subtile le dissimulaient [3]. La première fois que j'entendis pénétrer en moi le mot « colonisé », ce fut vers les années 55 ou 56. Un collaborateur de la revue *Esprit* en était à son premier séjour au Canada et comme, au cours d'une conversation, nous parlions du numéro spécial que cette revue avait consacré au Canada français quelques années auparavant, il me dit, entre autres choses et sans le faire exprès, que X... lui avait rapporté que Béguin, en lisant les textes manuscrits composant ce numéro, avait eu l'impression d'une résonance de « conscience colonisée ». A cette époque, ce mot me scandalisa, mais il ne cessa de m'obséder par la suite [4]. Je me mis à regarder autour de moi, et en moi, avec d'autres yeux ;

---

3. Avant 1956, sous l'influence de *Cité libre,* il me semblait que tous nos maux originaient du social. Duplessis, par son blocage, incarnait le mal absolu. Dans une large mesure, le diagnostic de *Cité libre* est encore valable aujourd'hui. Après 1956, cependant, il m'apparut progressivement que le duplessisme n'était pas la cause unique du blocage social, de nos manques, carences, corruptions, prétendues inaptitudes, mais aussi un effet de la structure *canadian* qui donnait lieu et place au système, comme ce fut le cas pour Taschereau et les autres avant lui, et comme ce le sera pour Lesage si le mouvement actuel venait à avorter. Certes, nous devons recouvrer notre vérité et réalité propres, bref notre personnalité, mais je n'abandonne pas le projet d'un changement radical du social, et non pas seulement dans sa forme comme on le fait encore à *Cité libre* : une critique des défauts en vue de réformes et d'une purification de la structure existante.

4. A la réflexion, il me parut plus étrange que scandaleux. C'est plus tard qu'il me fit l'effet d'un scandale.

je me mis à déchiffrer avec voracité ma réalité ambiante, à m'expliquer et à vouloir expliquer le monde dans lequel je vivais. Je me plongeai dans toutes sortes de lectures. C'est à cette époque, 1956, que je tentai une action politique au P. S. D. Cependant, mes résistances ne tombaient pas. Mais ce qui compte, c'est justement cette perception dont j'ai parlé ; au fur et à mesure, elle se changeait en pierre d'achoppement, tout en me changeant. Je ressentais de plus en plus, à la lumière qu'elle faisait dans mon esprit, ma condition comme une humiliation et comme une injustice. Puis mes résistances reprenaient le dessus : on s'était sûrement trompé sur notre compte ; ce n'était pas possible, non, tout mais pas ça. Cependant, elle m'expliquait en partie ma honte antérieure, ma rage, ma haine, desquelles je n'avais pu déceler l'origine : les explications traditionnelles étaient insuffisantes à en rendre compte.

Longtemps, donc, j'ai refusé d'admettre, tout en l'admettant malgré moi, que le phénomène colonial m'avait touché, en tout ou en partie. C'est alors que je devins, de 1956 à 1959, comme tout colonisé, un mythomane. Je me débattis comme un énergumène, dans une lutte intérieure épuisante, contre moi-même. Un jour, je proclamais que j'étais émancipé de tous nos tabous, nos empêchements, de nos limitations et nos bondieuseries [5] ; que cette situation ne me concernait pas, moi, que je n'en souffrais pas, moi ; que, moi, je m'en étais sorti du cauchemar dont je parlais avec Gilles Leclerc, s'il y avait à sortir de quoi que ce soit. En réalité, j'étais libre, mais seul, et à quoi peut bien servir une liberté en l'air ? D'autres jours, sous l'évidence qui m'accablait à la suite de mon investigation, je me précipitais dans les abîmes de l'abjection, de l'ignominie, de la déréliction, bref avec toute la charge de mots d'une opération de rabaissement. La complaisance montra de nouveau le nez, cette fois elle se présentait sous les formes de la fatalité et de la résignation, et la situation politico-

_____

5. Mon allégeance post-surréaliste en art me donnait l'illusion de cette émancipation et liberté.

économico-sociale me servait d'alibi. Côté poésie j'invoquai, et le fis savoir avec amertume et cynisme parfois, des kyrielles de bonnes raisons en or pour ne pas affronter l'écriture. La paresse aidant, cela me faisait une belle bouille et des airs de martyr ou de héros falsifié. J'ai mis quatre ans à gagner sur moi, à m'investir d'une affirmation à partir de ma réalité objective : ma situation dans ce pays, qui est ma réduction au regard de l'altérité anglo-canadienne. Ma confrontation avec l'Europe, en 59-60, finit par vaincre définitivement mes résistances et mes doutes humanistes-démocratiques-pacifistes-universalistes-etc.

Une fois que j'eus assumé ma condition de colonisé, du moins la part en moi qui est colonisée, que je l'eus revendiquée et retournée en une affirmation, j'estimai, face à l'écriture, que la seule attitude convenable résidait dans le silence, forme de protestation absolue, refus de pactiser avec le système par le biais de quoi que ce soit, fût-ce la littérature. Je précise que cette prise de position m'est tout à fait personnelle et que je n'essayai pas de l'imposer, mon action en édition en fait foi. Le seul qui en était venu là, c'était Hubert Aquin, avec qui j'en avais parlé à l'occasion ; il s'est d'ailleurs expliqué dans des textes irréfutables ; son point de vue comporte des différences cependant. Je maintins cette attitude idéologique assez longtemps, avec de brèves rechutes de découragement et des démêlés nombreux avec moi-même : c'était un compte que je réglais avec la complaisance et cela regardait l'idée que je me faisais de la littérature, sa nature, sa fonction. Tant que les conditions d'une action commune n'existaient pas dans une praxis déterminée, je me trouvais justifié dans mon attitude. Je croyais que les conditions normales à l'existence et à l'épanouissement d'une littérature n'étaient pas réalisées ici : nous étions condamnés à une littérature d'en-deçà, de moribond. La perversion sémantique à l'échelle nationale en faussait la communication et la rejetait dans l'irréalié. Je crus que notre salut n'était pas que dans l'éducation, mais qu'il était *aussi politique,* les deux ne pouvant s'exclure. L'urgence m'apparut dans cette direction et j'y donnai à plein. Cette fois, l'accusation de complaisance vint du dehors. Dans une société aliénée à elle-même, à sa langue, donc à son potentiel humain, en plus de l'aliénation prolétarienne qui pèse sur l'homme en général, donc à son produit social le travail, la force d'une revendication et d'une affirmation de sa reprise, de sa récupération, peut apparaître à plus d'un cher honnête homme comme une nouvelle complaisance et une solution de facilité, et surtout si cette affirmation se durcit dans un silence.

Ainsi, de 1954 à 1959, dans les moments où je gagnais sur moi-même, j'ai écrit les poèmes de *La Vie agonique,* dans lesquels j'ai tenté de cerner et de définir mon appartenance et ma spécificité en même temps que ma relation au monde et aux hommes. Je m'efforçais de me tenir à égale distance du régionalisme et de l'universalisme abstrait, deux pôles de désincarnation, deux malédictions qui ont pesé constamment sur notre littérature. Y ai-je réussi ? c'est une autre affaire, j'indique une démarche. J'essayais de rejoindre le concret, le quotidien, un langage repossédé et en même temps l'universel. Je reliais la notion d'universel à celle d'identité. D'autres poètes, parmi les meilleurs, s'étaient également engagés dans cette voie. Quant à moi, je refusais toujours de publier mes poèmes en livre, bien que j'aie consenti à les donner à des revues qui œuvraient dans une perspective d'indépendance, j'aurais fait, croyais-je, le jeu de ceux qui prétendent sans broncher que nous avons tous les moyens de nous réaliser en tant qu'être au monde de culture française (être nous-mêmes), dans le statu quo d'un système où aucune motivation socio-économique [6] ne vient rendre nécessaire la pratique de cette culture. A mon avis, un démenti était apporté à ces bonnes consciences et aux privilégiés en petit nombre, par l'état de l'instrument de cette culture : la langue et son langage qui sont la présence totale d'un homme au monde. Si cette présence est altérée dans son instrument, mutilée, aucun compro-

6. Selon l'expression de Maurice Beaulieu.

mis n'est possible. Nous ne pouvons plus rendre compte de la réalité. L'homme, ici, dénaturé c'est-à-dire coupé de ses liens écologiques de droit, déculturé c'est-à-dire aliéné à sa culture, se trouve dans une situation coloniale : sa déshumanisation. L'état d'une langue reflète tous les problèmes sociaux.

Les réformes, en éducation et dans d'autres domaines, ne peuvent à elles seules restituer cet homme à lui-même, seul le politique peut le rendre complètement à son homogénéité, base d'échanges des cultures. Seul il peut garantir l'intégrité culturelle de la nation et la pratique de sa nécessité vers un plus être. Nous vivons en 1965 et c'est là notre affrontement et notre voie : la naissance de notre collectif à la conscience mondiale. Comme collectivité nationale, nous avons vécu jusqu'ici d'expédients qui furent nécessaires, et d'une constante panacée, les solutions culturelles : messianisme, bon parler français, biculturalisme, et maintenant éducation. J'insiste sur ceci : je tiens pour essentielle et vitale la réforme en profondeur de l'éducation, mais son efficacité en sera compromise toujours tant que le politique n'en garantira pas sa nécessité et sa pratique. Il y a un choix fondamental : *être au monde,* selon une culture, c'est-à-dire une ontologie. En général, dans une nation et une société formées, ce choix est une donnée naturelle ; sa remise en question n'affecte que des cas individuels. La survie démographique n'est pas une garantie, l'assimilation ça existe, de même que l'acculturation. Actuellement, nous avons besoin de plus que d'une langue maternelle pour nous épanouir, nous avons besoin d'une langue qui soit aussi natale. C'est par récupération que nous posséderons notre instrument de culture et que celle-ci pourra informer la réalité. Ce n'est pas le nationalisme qui importe, c'est la conscience nationale ; celle-ci ne peut être vivifiée qu'aux sources d'une culture nationale.

Telles étaient mes vues et telles elles sont encore. En 1962, je persistais néanmoins dans mon refus de l'écriture et mon refus de publier, donnant la priorité à l'engagement politique et à la construction de l'indépen-

dance. Je me trompais à demi. Les choses avaient
changé. Je n'étais pas sans m'apercevoir que j'étais en
contradiction avec moi-même et avec la situation galo-
pante. Je jugeai durement mon attitude et m'avouai
que je m'étais fourvoyé sur ce plan. Mon attitude
n'avait et n'avait eu une valeur exemplaire que vis-à-vis
de moi ; pour qu'elle fût efficace, il aurait fallu que
j'aie une réalité comme écrivain dans le grand public ;
or je m'étais nié d'une certaine façon ; je n'avais de
crédit que pour un petit cercle, du même avis que moi.
D'autre part, la littérature n'est pas qu'une expressivité,
elle est aussi un acte, son action en est une de dévoile-
ment de l'aliénation et de son dépassement ; elle aussi,
en créant ses conditions propres, peut créer les conditions de son historicité. Publier devient donc un acte
aussi probant que l'action politique.

Je me remis donc à courir mes milles de poésie. Je
donnai à paraître *La Marche à l'amour* et *La Vie agonique*. Je me remis à écrire, péniblement, m'arrachant
au sol, luttant contre la confusion qu'a engendrée dans
mon esprit la dualité linguistique, dont je suis victime
à l'égal de la majorité. Aujourd'hui, je sais que toute
poésie ne peut être que nationale quand elle convient,
bien entendu, à l'existence littéraire. Le plus grand poète
politique de l'Espagne, c'est Lorca, parce qu'il exprime
au plus haut degré le fait d'être espagnol et homme à la
fois. La littérature ici, c'est ma conviction, existera collectivement et non plus à l'état individuel, le jour où
elle prendra place parmi les littératures nationales, le
jour où elle sera québécoise. Elle sera québécoise dans
le monde et au monde. Pilon a raison contre Trudeau
quand il affirme qu'à talent égal on a des chances d'être
un moins bon poète dans une situation de dépendance
coloniale. J'en témoigne pour l'avoir ressentie existen-
tiellement et concrètement, j'ai trop souffert dans ma
tête.

Jusqu'en 1962, mon engagement avait été surtout
d'ordre intellectuel. J'avais répugné à militer plus tôt, en
raison des origines de droite des premiers mouvements
d'indépendance : mon option socialiste m'en éloignait.

En 1962 des hommes et des femmes de toutes conditions en étaient arrivés à un choix commun : la prise en charge de notre problématique dans l'indépendance. C'est en poussant jusqu'à ses conséquences logiques mon socialisme, et par les études d'analyse sur notre société, que je concevais maintenant l'indépendance non plus seulement sur les plans de l'ontologie et du langage, mais sur le plan politique. Des courants idéologiques de gauche aboutissaient au même point. J'étais acculé, ne pouvais plus me dérober. Je n'hésitai plus à les rejoindre et je poussai souvent, à mes risques, le compromis tactique. Mon engagement devait se traduire par des gestes de pair avec mon action en littérature et en édition : je participai à des meetings, des assemblées, des manifestations populaires. Bref, je suis un militant comme tant d'autres, je dépasse ma situation ; car, si je me reconnais dans une situation de dépendance coloniale, ce n'est pas pour m'y complaire. Pour la première fois de ma vie, je suis en accord avec moi-même et avec une réalité à transformer jusque dans ses structures. Quand le phénomène colonial se manifeste, à quelque degré que ce soit, il réduit celui qui en est victime à sa menace. C'est pourquoi toute action, dans ces conditions, ne saurait être à mes yeux que radicalisante. Les facteurs subjectifs et objectifs doivent être radicalisés. Les événements dussent-ils nous vaincre dans l'avenir, je continuerai de penser que notre choix était justifié, et notre action. L'humanité s'en trouverait seulement un peu plus appauvrie dans les siens.

Pour terminer, puisque la littérature est « l'appel libre d'un homme à d'autres hommes » (Sartre), j'adresse quelques mots à certains de nos aînés immédiats avec lesquels nous divergeons ou qui sont carrément, à leur insu peut-être, nos adversaires les plus pernicieux parce qu'ils sont la négation de notre spécificité. C'est à la suite de durs et longs combats intérieurs que nous en sommes venus à notre choix, cela n'a pas été facile, ne l'est pas encore et ne le sera jamais même si notre choix s'impose ; il n'est pas de tout repos d'être un homme libre et responsable, partout dans le monde. Il y a ceci : celui qui a souffert dans sa chair et son esprit d'une situation collective, et par voie de conséquence individuelle ; celui qui dénombre en lui « l'homme carencé » d'un phénomène colonial aussi particularisé soit-il, en l'occurrence : ravages de la dualité linguistique, infériorisation économico-sociale, dépendance politique... (situation à laquelle le colonisé aliéné répond par la possession, ou le mimétisme, ou le repli sur soi), se perçoit davantage comme victime du phénomène et du système et sa revendication est d'autant plus virulente. Celui-là, de par sa prise de conscience, appelle une reprise et un devenir. Nous, écrivains colonisés, contribuons à cette prise de conscience. Toutefois, je sais que ceux qui s'en sont sortis par le salut personnel ou ceux à qui une situation de classe a évité le naufrage avec le grand nombre récusent l'affirmation des éléments conscients de ce grand nombre ; ils sont enfermés dans une position exclusivement individualiste, caractéristique dominante de l'idéologie bourgeoise. Les assimilés, eux, la récusent encore plus violemment ; à leur insu ou par conviction, ils ont adopté l'image que l'altérité leur renvoie d'eux-mêmes : leur spécificité est abolie en l'autre et pour se donner le change ils n'en ont conservé que le pittoresque, frange où mord encore le mépris de l'autre. Cependant, les contradictions s'amoncellent pour les individualistes comme pour les assimilés. Devant l'émergence de l'authenticité et de l'efficacité retrouvées [7], ou ils se durciront et apparaîtront de plus en plus comme réactionnaires, ou ils dépasseront leur réalité subjective en se reconnaissant solidaires de tous [8].

(1965)

---

7. Dans *Dépossession du monde*, Jacques Berque met en lumière ces couples de forces que sont « authenticité-efficacité », « nature-culture », « spécifique-général ».
8. Au terme de ce texte, je me rends compte à quel point je me suis empêtré dans ma tentative de m'expliquer de façon rationnelle. Cela prouve combien je suis encore sous la coupe des ravages de notre système interne et du phénomène colonial qui s'y superpose.

Décoloniser la langue *

Quelle est, selon vous, la situation de la langue au Québec ?

Gaston MIRON. — Je veux préciser que je ne suis pas linguiste. Lorsque je parle de langue, la mienne, la nôtre, c'est en relation avec un travail de parole et d'écriture qui est le mien comme écrivain. Mon propos découle davantage d'une réflexion sur la langue et d'observations sociolinguistiques que de l'étude de la langue en soi. En cours de route, soit pour communiquer, soit pour m'exprimer, j'ai pris conscience de carences linguistiques, de difficultés du même ordre, qui avaient provoqué des traumatismes et des conflits chez moi. C'est alors que je me suis remis en question non seulement dans ma pratique d'écrivain mais comme sujet parlant dans ma société. J'ai fait pour mon compte une sorte de procès de mon langage, et principalement de la langue qui est une modalité particulière du langage, qui est un instrument de communication dans sa fonction essentielle, de « compréhension mutuelle », dit André Martinet. J'ai cherché à comprendre comment la langue fonctionnait chez moi et quel était le fonctionnement de la langue commune à l'échelle de mon entourage et de la communauté. Peu à peu s'est imposé à moi le constat que j'étais devenu, pour une bonne part, étranger à ma propre langue, que celle-ci subissait à mon insu l'intrusion d'une autre langue, en l'occurrence l'anglais. Je ne savais pas l'anglais, et cependant j'étais un unilingue sous-bilingue : je savais une centaine d'expressions toutes faites comme *Where is Pell Street ?*, qui me permettent d'être fonctionnel et directionnel dans

---

* Interview à *Maintenant*, no 125, avril 1973.

cette société. Quand je lisais : *Glissant si humide,* je croyais que c'était du français, je comprenais parce qu'en même temps je lisais *Slippery when wet,* alors que c'est de l'anglais en français, c'est l'altérité. Pendant dix ans j'ai emprunté des centaines de fois les autoroutes sans tiquer au sujet de la signalisation : *Automobiles avec monnaie exacte seulement/Automobiles with exact change only* — *Partez au vert/Go on green,* etc., et je constate que des milliers d'usagers en font autant, jusqu'au jour où j'ai ressenti un étrange malaise, presque schizophrénique. Je ne savais plus dans ce bilinguisme instantané, colonial, reconnaître mes signes, reconnaître que ce n'était plus du français. Cette coupure, ce fait de devenir étranger à sa propre langue, sans s'en apercevoir, c'est une forme d'aliénation (linguistique) qui reflète et renvoie à une aliénation plus globale qui est le fait de l'homme canadien-français, puis québécois, dans sa société, par rapport à sa culture et à l'exercice de ses pouvoirs politiques et économiques.

— *Cette situation prévaut-elle toujours ?*

— Bien qu'intervienne une large prise de conscience et qu'il se trouve une praxis de reconquête, de récupération, les jeux ne sont pas faits. C'est, dans l'ensemble, toujours le statu quo, un statu quo qui s'enlise. Notre langue, comme outil de communication, et même d'expression, est toujours dans une situation prépondérante de diglossie. Ce terme désignerait une situation où une communauté utilise, suivant les circonstances, un idiome plus familier et de moindre prestige (le français) ou un autre perçu comme plus savant, plus recherché et prestigieux (l'anglais). Mais la situation est encore plus complexe car non seulement sommes-nous aux prises avec un idiome perçu comme prestigieux (l'anglais), mais à l'intérieur même des dialectes québécois et français certains voudraient nous faire adhérer à un dialecte lui aussi perçu comme prestigieux : le français international. Là encore, cette situation renvoie au statut du sujet

154

parlant, l'homme québécois, son statut social dans la société *canadian*, et dans sa propre société où il est majoritaire. Pourtant sa langue n'est le signe d'aucune promotion sociale, d'aucune mobilité verticale, sauf dans les cas où la société québécoise constitue un marché. Il n'est relativement à l'aise pour sa communication que dans les domaines de l'intériorité culturelle : la religion, l'école, la famille, les services, les manifestations spécifiquement culturelles. Ces domaines correspondent d'ailleurs aux pouvoirs partiels dont il dispose à Québec, que ses pères ont durement négociés et payés par le passé, aux prix d'échecs et de guérilla parlementaire, et sur lesquels il s'appuie pour résister, pour se survivre comme entité culturelle et linguistique distincte. C'est pourquoi les dialectes québécois sont toujours parlés tant bien que mal, nonobstant ces pouvoirs il y a longtemps qu'ils seraient devenus des enclaves folkloriques. Pour ce qui est de l'extériorité culturelle, l'ensemble de l'activité sociale, la communication de l'homme québécois lui échappe aux trois quarts, elle n'a pas de prise réelle, elle est refoulée continuellement vers le dedans. Il en vient à percevoir sa culture, et sa langue qui en est le produit, comme dévalorisées, pour usage domestique seulement. La notion même de culture est assimilée au fait de savoir la langue de l'autre pour accéder aux valeurs dominantes ; combien de fois ai-je entendu cette phrase : « Il est instruit (ou cultivé), lui, il sait l'anglais. » Dans ces conditions, on s'en sacre de dire cheval, joual, ouéoual... puis les campagnes de bon parler, puis « bien parler, c'est se respecter »... ce qui compte, ce qu'il faut dire, c'est *horse*. Et depuis 1969, tout peut suivre : l'école anglaise. L'homme québécois n'est pas à blâmer pour cette situation, il n'a pas à rougir non plus de sa langue commune qui se dégage de l'ensemble de ses dialectes, qui tient le coup. Les responsables, ce sont les élites politiques et bourgeoises en collusion avec la minorité possédante canadian du Québec et le centralisme d'Ottawa, qui le maintiennent sur son propre territoire dans un modèle de société coloniale infériorisant.

155

— *Quels effets une situation de bilinguisme collectif, ici, a-t-elle sur la langue ?*

— D'ordinaire, l'idée de bilinguisme suppose que quelqu'un manie avec aisance deux langues nationales. Si on étend cette idée à deux communautés linguistiques, ça impliquerait idéalement deux langues de statut identique, d'égal prestige et sur un pied d'égalité, qui seraient pratiquées indifféremment sans qu'il y ait concurrence ou conflit. Tel n'est pas le cas. Soit il s'agit de deux langues de statut identique, complètes, mais l'une, l'anglais, dans le système canadien est perçue comme prestigieuse et on ne peut dire que l'autre est sur un pied d'égalité. Il s'agit au départ d'un bilinguisme structurel qui oblige le seul Québec, et s'étend collectivement à la communauté québécoise. Du côté canadien, seuls les organismes et services fédéraux sont officiellement bilingues ; le bilinguisme, hors cette structure, ne sera le fait que de cadres (au Québec surtout) et d'individus motivés par des fins culturelles. Du moins dans le statu quo actuel. Mais les élites coloniales entretiennent le mythe d'un bilinguisme collectif et idéal, dont les séductions ne jouent qu'au Québec, par une série de mystifications et d'arguments terroristes, du genre « on est entouré de 250 millions d'anglophones », etc. Il va falloir crever toutes ces balounes. La langue ici n'échappe pas à la condition globale de l'homme québécois. La langue ici opère dans un contexte global issu d'un colonialisme qui se prolonge dans des structures semi-coloniales. La langue, au même titre que l'homme québécois, colonisé, est une langue dominée. J'entends par là que, socialement, dans de larges secteurs de sa communication, la langue du colonisateur se superpose à la nôtre ou la recouvre. Peu à peu il y a érosion de notre langue par celle de l'autre ; toutes sortes de symbioses linguistiques peuvent en résulter. Parfois ce n'est plus une langue qui fonctionne, c'est une langue en fonctionnement, en distorsion, tant bien que mal. Prenons, entre mille exemples, celui que je citais tout à l'heure : *Automobiles avec monnaie exacte seulement/*

Automobiles with exact change only. Si on retire l'anglais, ce « français » perd toute signification ; il n'a de sens qu'en fonction de l'anglais qui est à côté. Ce « français » n'a plus d'autonomie, il ne fonctionne pas par son propre système de signes, son propre code. Il n'a pas de référent non plus (la réalité du monde à laquelle renvoie le langage), son référent c'est l'autre langue qui, elle, fait le rapport avec la réalité. C'est dominé et déréalisé. De toute façon, dans le système canadian, c'est nous qui devons toujours traduire, ce n'est pas au tout mais à la partie. Dans ces conditions, la langue québécoise risque de devenir une langue traduite ; c'est déjà fait dans certaines strates de langage. Une langue alors passive, qui subit les conditions linguistiques de l'altérité, qui n'invente plus, ne crée plus, ne s'adapte plus suivant ses nouveaux besoins et ses exigences. Elle n'évolue pas de par son propre dynamisme interne. Dans cette situation de bilinguisme et cet environnement de traduction massive et quotidienne, il serait étonnant que la langue ne subisse pas d'influences déformantes, par l'autre. Mais, dans l'ouvert et le fermé d'une langue, les facteurs de résistance, de rejet, d'assimilation ne sont pas négligeables. Celui qui dit : *Mon domelight est locké* ou *Y a eu un storm hier* ou *Le dispatcher m'a donné ma slip pour aller gaser,* parle québécois, la phrase demeure fidèle au système de la langue, on ne constate qu'une insuffisance de vocabulaire qui s'explique sociologiquement. Ce genre de frottement, de contact avec l'autre langue, est assez superficiel, ça ne va pas plus loin que l'emprunt lexical, souvent l'emprunt est transitoire ou assimilé. Ce qui est plus grave c'est une influence qui crée un type de symbiose subtile et pénétrante, et qui attaque le système syntaxique. Il me semble que la langue parlée est moins atteinte que la langue écrite. Exemples : *Ne dépassez pas quand arrêté, Saveur sans aucun doute, Pharmacie à prix coupés.* Ce n'est pas, comme certains le prétendent, une langue nouvelle, ça. C'est la communication de l'autre dans nos signes ; la langue de l'autre informe notre langue de ses calques.

Les chasseurs d'anglicismes lexicaux ne trouveront pas un traître mot d'anglais là-dedans ; pourtant c'est de l'anglais en français. La communication de notre langue dé-fonctionne là-dedans sous l'effet du code de l'autre. Ça produit du non-sens, ou un sens *autre* que le sens que ça devrait produire. Ce charabia, puisqu'il faut l'appeler par son nom, on le trouve partout, dans la signalisation, les textes juridiques, la vie sociale (travail, administration, publicité, commerce...). Je viens de lire un contrat établi par une compagnie de cinéma. C'est inintelligible ; il faut recourir au texte anglais pour ne pas se faire avoir. J'ai en archives des tas de circulaires envoyées à des catégories de personnes ; et que dire de l'affichage, des fameuses « directives » (mode d'emploi) sur les étiquettes des produits : le charabia est présent. Le fait qu'un grand nombre de scientifiques, professionnels, techniciens font leurs études en anglais, le fait d'une plus grande scolarisation anglaise des enfants québécois, peut contribuer à multiplier cette « langue de calques ». Dans la prise de conscience globale qui a lieu aujourd'hui au Québec, il se trouve le sentiment que la langue est menacée. C'est grave, mais là n'est pas la vraie menace, le nœud. Ce qui menace la langue québécoise, mais radicalement ! c'est d'être frappée peu à peu d'inutilité, de perdre tout caractère de nécessité. Dans le grand tout canadian, notre rapport de forces proportionnel va décroissant. D'autre part, notre présence politique demeure faible, tandis que les pouvoirs de l'infrastructure, qui parlent anglais, sont de plus en plus insistants, et en l'absence d'un vrai pouvoir politique ce sont eux, à toutes fins pratiques, qui tiennent lieu de souveraineté dans la situation.

— *Y a-t-il des solutions à cette situation ?*

— Il n'y en a qu'une. Actuellement, la menace de cet état de choses n'a jamais été aussi grande et en même temps la prise de conscience et la conjoncture n'ont jamais été aussi propices pour le changer. Urgence de se décoloniser. Et ce faisant, la langue va aussi se décoloniser. Dans le statu quo, on ne peut agir directement sur la langue, on ne fait appel, comme c'est le cas, qu'à des motivations qui ne touchent que des individus. Mais, si on change la situation globale qui conditionne le fonctionnement de la langue, la langue va se récupérer d'elle-même sur un laps de temps x. L'apprentissage et la pratique vont devenir des motivations profondes. La langue va fonctionner de par son propre système de signes, son propre code, et dans l'inter-influence et les échanges que les langues exercent entre elles, elle va vivre comme homogènes les éléments hétérogènes dans ses propres structures. Ce qui fonde la légitimité d'une langue c'est, bien sûr, qu'elle est parlée ; mais, si elle veut accéder à un statut de langue nationale, c'est son caractère de nécessité. C'est la politique qui garantit et crée les conditions d'exercice d'une culture et de son outil de communication, la langue, sur un territoire donné. Quant à l'infrastructure, même si on ne peut la récupérer pour le moment qu'en partie, c'est encore la politique qui peut la conditionner et la faire agir en québécois. On n'a qu'à voir ce qui se passe dans des pays où l'économie est investie par l'étranger parfois à quatre-vingts pour cent : ces capitaux sont contraints d'agir dans la structure nationale.

— *On parle de langue québécoise. Est-ce que ça existe, d'après vous ?*

— S'il y a un peuple québécois, une culture québécoise, s'il y aura bientôt, j'espère, une dimension politique à cette culture qui fera qu'on sera non plus seulement au monde, mais dans le monde, il existe bien sûr une langue québécoise. Cette désignation est même importante dans l'affirmation de notre identité, notre différence au monde. Mais par quoi se caractérise cette langue ? Globalement, je dirais que la langue québécoise n'est pas spécifiquement québécoise dans sa dénotation (langage premier d'information pure), sauf pour des séries lexicales assez restreintes d'ailleurs. A

159

cet égard, elle demeure dans la famillle du français, une variété de français. Il y en a qui prétendent et prêchent que nous ne parlons plus « français », que nous parlons une autre langue, ou que nous sommes en train de créer une nouvelle langue ! Ces affirmations défient toutes les observations linguistiques. Au plan de l'expérience, il n'y a pas de difficultés insurmontables de compréhension immédiate entre un Français et un Québécois, moyennant parfois un ajustement qui se fait vite, de part et d'autre. Il ne faut pas dérailler. S'il était vrai que nous parlions une langue vraiment *autre*, si les dialectes québécois ne référaient plus au système commun du français, nous ne pourrions pas lire de livres français, lire de revues françaises, voir même des films français, etc. L'expérience nous apprend que tel n'est pas le cas. De toute façon, je crois qu'un linguiste, Gilles Des Marchais, a écrit des choses concluantes à ce sujet, dans un article paru dans *Parti Pris* intitulé : « Défense et Illustration du québécien ». Pour ce qui me concerne, globalement, là où la langue québécoise est spécifiquement québécoise, c'est dans sa connotation (changements ou extensions ou glissements de sens, surfaces sémantiques, coefficients affectifs et expressifs, charges lexicales).

— *Et le joual ? Il y a des œuvres qui l'illustrent.*

— Il y a beaucoup de confusion autour de ce terme, on ne sait plus très bien ce qu'il recouvre. Pour le moment, le problème n'est pas là, il n'est pas entre les dialectes québécois. Il se situe entre la langue québécoise commune et l'anglais, dans leur symbiose, c'est-à-dire la présence du système de la langue de l'autre, par ses calques, dans la mienne, qui fait que cette langue est « empêchée » dans son autonomie, sa souveraineté ! Of horse ! Politiquement, situer le problème entre nous, poser l'alternative suivante : faut-il dire cheval ou joual ? c'est une opération de diversion pour le moment ; pendant qu'on se pogne là-dessus, le mot *horse* dans la communication bicéphale *canadian* se répand partout.

L'alternative juste est la suivante : faut-il dire *horse* ou tous les autres : cheval, joual, ouéoual, etc. ? Sinon, à longue échéance, on risque de dire ni l'un ni l'autre. Qu'on dise un arbe, âbe, un arbre, tant qu'on ne dit pas *tree* on parle québécois. Cela étant dit, un créateur a toute liberté d'utiliser tous les niveaux de langue séparément ou en même temps, pour créer une œuvre. Mais une œuvre, si géniale soit-elle, ou un ensemble d'œuvres qui relèvent de critères esthétiques et où viennent se greffer des structures de la langue littéraire, ne sauraient être LA langue commune. Il y a présentement un mouvement qui fait d'un corpus d'œuvres une proposition de langue, qui nous dit que c'est comme ça qu'on parle. Cette attitude est complètement absurde du point de vue linguistique. Dans le même esprit, je conteste le postulat suivant que j'entends et lis souvent : la langue qu'on parle, c'est ça notre langue. C'est archi-faux. Martinet écrit : « Aucune communauté linguistique ne peut être considérée comme composée d'individus parlant une langue en tous points semblable. » Et sur le territoire québécois il se parle plusieurs dialectes. D'un point de vue culturel et sociologique, ça ne se vérifie pas non plus dans une situation coloniale. Est-ce que, par exemple, les dizaines de mille Algériens qui ne parlaient plus l'arabe mais seulement le français, est-ce que le français était leur langue du fait qu'ils ne parlaient que cette langue ? Aujourd'hui, en se décolonisant, ils réapprennent l'arabe. Le fait qu'ils ne parlaient plus leur langue, c'était une victoire du colonisateur. Continuons à parler québécois, ou bien réapprenons le québécois !

Le bilingue de naissance *

Je suis né à Sainte-Agathe-des-Monts, P. Q. Il y avait déjà un bon nombre de résidents anglophones à l'année longue. L'hiver, j'avais l'impression d'être relativement chez nous. Mais l'été, la densité démographique des anglophones augmentait dans la proportion de trois à un, ils se rendaient maîtres de la place et des environs. D'inévitables heurts survenaient, qui n'allaient pas jusqu'à l'affrontement, en vertu d'un obscur sentiment d'inégalité ; je les subissais plutôt, parfois avec une rage rentrée ou avec ambivalence pour ces gens si sûrs d'eux, de leur expression, de leurs biens et argents. Mais de façon générale, fidèle en cela aux attitudes et comportements que le groupe m'inculquait, je m'arrangeais pour écarter tout incident désagréable avec les anglophones. Il fallait se montrer empressé, respectueux, poli, ne pas leur déplaire, car ils représentaient une mine d'or comme clientèle et employeurs. Aussi, j'évitais le plus possible les lieux de leur présence. Ils m'étaient un autre monde, c'était le dehors. Intérieurement je percevais ce dehors comme hostile et agressant. Je n'étais à l'aise que dans l'entourage immédiat de la *famille*, de *l'école*, de *l'église*, dans l'aire du groupe quoi ! ces lieux du repli culturel, du dedans, et qui correspondent aux trois seuls pouvoirs majeurs que le Québec possède en entier (de plus en plus envahis), les autres étant mixtes ou relevant du pouvoir fédéral-central.

---

* *Maintenant,* n° 134, mars 1974.

C'est dans cette situation que, dès mon plus bas âge, j'ai pris conscience que tous ne parlaient pas la même langue que moi dans ma petite ville, la même langue que les Canadiens français. Ce constat peut paraître banal, mais dans le cerveau de l'enfant que j'étais alors (et j'ai observé les mêmes effets, quoique atténués, chez ma fille vers quatre ans), j'en pris conscience avec étonnement d'abord, puis le phénomène me sembla plein d'étrangeté. A mesure que j'étendais mon champ d'exploration et que je grimpais en âge, je m'apercevais d'un certain nombre de choses : mes rapports avec moi-même et le milieu, sur le plan linguistique, devenaient de plus en plus complexes et ambigus. Les réalités que je subissais, qui m'imprégnaient, que j'essayais d'accepter et de m'emparer avec bonne volonté par la pression du milieu, et en partie que je refusais inconsciemment par ailleurs, allaient me causer des traumatismes dans l'apprentissage de l'anglais et des langues en général. J'étais tiraillé, tantôt en état de béance, tantôt en état de bagarre avec l'autre langue. La nécessité dont on m'avait convaincu d'apprendre celle-ci, le désir que j'avais de la savoir, les efforts que j'y apportais, tout cela se heurtait paradoxalement à mon inaptitude pour elle et provoquait chez moi un sentiment d'insécurité pour ma propre langue, car la pression du milieu, dans le même temps, me bardait de défenses : ne pas perdre sa langue, la conserver, la bien parler. L'autre langue me devenait opaque. Elle s'installait en moi, dans son absence, comme une obsession. Longtemps, jusque vers ma vingt-cinquième année, j'ai ressenti comme un manque et une infériorisation le fait de ne savoir l'autre langue qu'approximativement. Je suis persuadé aujourd'hui que la question linguistique fait partie comme le reste de la névrose canadienne-française face à l'Autre (entendu comme altérité).

En vécu sonnant, quelles sont ces réalités, tant subjectives qu'objectives, qui sous-tendent la psychologie, que je ne fais qu'esquisser, de l'espèce de bilingue *sui generis* que je suis ? Il y a d'abord ceci : dans les années trente-quarante, et cela génération après génération, la langue que nous croyions parler s'appelait encore le français. D'ailleurs, la seule identité que je / et nous / me connaissais, c'était d'être Français et/ou Canadien français et catholique. Je note que ces signes d'identité n'étaient que des composantes d'une identité plus globale, mais alors je les percevais comme le tout de l'identité, alors qu'en fait ils me définissaient comme négativité, exclusivement comme différence et non comme dynamique, par opposition à l'autre qui était anglais et protestant ; ils ne renvoyaient qu'à une vague notion d'ethnie, et non à un concept d'identité globale qui est celui de la culture-québécoise-comme-projet-aujourd'hui. Dans ces conditions, que l'anglais altère ma langue, qu'à la limite je la perde, équivalait à me mettre en danger comme identité. Dans mon blocage vis-à-vis de l'anglais, qui a duré longtemps, il entrait donc une attitude d'être sur le qui-vive, ajoutée à un élément de culpabilité inconsciente. Au cours des années, les choses allaient se compliquer encore et m'entraîner, par rapport à l'idée que je me faisais de moi-même et de mon groupe, et en rapport avec ma propre langue, dans un processus de dévalorisation et de confusion : j'ai connu des états où je ne savais plus qui est qui, et qui parle. Le salut m'est venu par la révolte, aux alentours de 53-56, qui me conduisit à me redéfinir radicalement.

Des souvenirs pêle-mêle me viennent, qui ont agi pendant vingt ans comme phénomènes sur ma sensibilité et ma conscience. Dès que j'ai pu me rendre compte du monde extérieur, je trempais dans un environnement linguistique à prépondérance anglaise et bilingue, le français étant réservé à l'usage domestique.

Ce chevauchement des deux langues, plus exactement d'une langue sur l'autre, finissait par composer une trame indifférenciée, les mots allaient par couple et ces paires de signes me saisissaient comme un seul signal. Door/porte, pull/tirer, pont/bridge, meat/viande, lundi/ monday, péage/toll, men/hommes, address/adresse, merci/thank you, bienvenue/welcome, etc. Et j'étais cerné par l'affichage, l'annonce, la réclame. Le monde était tel, pensais-je. Il l'était aussi à Montréal lorsque j'y arrivai en 47, il l'était à l'échelle de la Province. Dans la rue, à Sainte-Agathe (les rues Principale, Saint-Vincent, Tour-du-Lac), j'entendais parler anglais plus souvent qu'autrement, je voyais des Canadiens français se débattre du mieux qu'ils pouvaient dans cette langue, commerçants, homme d'entretien, tous déférents. Certains en étaient fiers, d'autres moins, je le sentais. J'entendais déjà de partout ce que j'ai entendu pendant des années au cours de mes résidences et mes déplacements : « untel, il se débrouille bien en anglais », « regarde untel, il a une bonne djob, il sait l'anglais », ou sa variante : « il est culitvé, lui, il sait l'anglais », « c'est un parfait bilingue », etc. De tels propos ont encore lieu aujourd'hui, avec ce que ça comporte d'envie et de regret. Plus tard, à Montréal, j'entendrai quelque chose qui va plus loin, à maintes reprises : « moi, je parle tellement bien anglais que quand je suis avec des Anglais ils ne peuvent pas s'apercevoir que je suis Canadien français », ou quelque chose d'équivalent. A vingt-cinq ans, quand j'ai commencé à réfléchir sur ces propos et leur signification, je trouvais normal que la notion d'instruction ou de culture soit assimilée au fait de savoir la langue de l'autre, mais de se prendre pour un autre, d'avoir honte de soi, m'apparaissait comme le boutte de la marde.

Dans ma parenté, plus que dans ma famille, l'anglais jouissait d'une « opinion avantageuse ». Et pourtant on se scandalisait qu'un de mes oncles ait viré de bord

166

et soit passé à l'anglais ; de mes deux cousins, un seul sait encore un peu de français. Mon père était un homme de principes et tenait à ce que nous ne dérogions pas à notre langue et à notre foi. Mais il était victime des contradictions issues de sa condition et de sa situation. Entrepreneur de menuiserie, un fort pourcentage de sa clientèle était anglais. Or il se débrouillait avec peine en anglais. Un jour où j'avais été témoin d'une explication pénible entre lui et une riche cliente, il me dit, une fois qu'elle fut partie : « Toi, au moins, j'te dis que tu vas l'apprendre l'anglais. » Cela marque, à huit ans. Il m'amenait souvent sur les lieux de ses chantiers, nous allions en visite du côté de L'Archambault, de Saint-Faustin, de La Tapini au bout du monde, partout, et lorsqu'il était question de travail ou de l'avenir des enfants on aspirait à nous faire apprendre l'anglais et ceux pour qui il était trop tard regrettaient de ne pas l'avoir appris comme pour nous inciter à le faire. Décidément, cette langue était la *first one*. En 1962, Jacques Ferron présentait dans la revue *Situations* les devoirs d'une cinquième année de garçons (de neuf à treize ans), en banlieue de Montréal : « L'institutrice avait remarqué que ses flows, volontiers distraits, retrouvaient leurs esprits et prenaient vie pour l'anglais. Cela l'intriguait. Un jour, c'était l'heure de la composition française, elle leur dit : classe d'anglais. Eux, surpris de ce changement au programme, de manifester leur joie. — Vous aimez donc la langue anglaise ? — Oui ! — Eh bien, dites-moi pourquoi dans une composition. On va voir si vous avez de bonnes raisons... » Ils avaient, à une exception près, tous fait état de leur désir d'apprendre l'anglais en invoquant son utilité, sa nécessité, sa sociabilité. Et Ferron conclut : « C'est curieux [ces réponses], elles nous font penser à l'Algérie française. Ces enfants sont peut-être à leur manière des petits bicots. » Dans *Le Devoir* du 29 janvier dernier on lit cette nouvelle : « Les étudiants au secondaire visent bilinguisme et anglais langue seconde. » Quand tout un peuple en arrive à n'avoir comme idéal que d'apprendre la langue de l'autre, quelque chose ne tourne pas rond, c'est même plutôt aberrant. Il y a des chances que la langue de l'autre soit la langue première, celle de la nécessité, et que la formule « anglais, langue seconde » ne soit un artifice de rhétorique dont se gargarise M. François Clouquier, qui s'en porte bien. Ce symptôme, entre autres, allait conduire depuis 1956 à la mise à jour d'une aliénation globale, de type colonial. La situation coloniale opère une sorte de renversement des rapports, qui nous fait adopter le point de vue de l'autre sur nous-mêmes et notre langue, où tout ce qui est l'autre est valorisé à notre détriment, et c'est ainsi que nous sommes en train de mettre en œuvre notre propre acculturation.

A l'époque, l'école était à la fois championne du Bon Parler Français et championne du bilinguisme. D'une part, on nous apprenait à nous méfier des anglicismes, des termes anglais ou para-anglais, des tournures syntaxiques qui déteignaient de l'anglais sur notre langue, et d'autre part on nous vantait les avantages du bilinguisme, c'est-à-dire de l'anglais. J'ai appris dès le primaire qu' « un bilingue en vaut deux » (sic), qu' « un bilingue est un homme supérieur », qu' « un bilingue participe à deux cultures ». Ouais ! dans ma vie, effectivement, j'ai constaté qu'un Canadien français est obligé d'être deux fois ce qu'est un autre pour obtenir le même emploi ; qu'en bons bilingues « supérieurs » nous occupons toute la gamme des emplois et postes subalternes ; qu'en général les bilingues d'ici ne sont pas pour autant plus cultivés que les unilingues que j'ai rencontrés ailleurs : ils sont seulement plus mêlés ! A y penser avec recul, le bilinguisme de ce temps-là et jusqu'aux alentours de 1960 était plutôt dérisoire et complètement inefficace, contrairement à celui qui sévit à présent, de plus en plus scolarisé, institutionnalisé et encadré d'une politique de langue seconde. D'anglais, nous n'avions qu'une demi-heure par semaine à compter de la cinquième année, et la plupart d'entre nous quittions l'école après la septième ou neuvième année. L'anglais, nous l'apprenions par bribes dans la rue mais surtout à la sortie de l'école, soit au travail pour le grand nombre, soit à l'école du soir pour les plus ambitieux, pas plus qu'il ne faut cependant pour fonctionner. Nous devenions comme nos pères des bilingues de *cheap labor* ; seules des élites accédaient à un bilinguisme plus professionnel ou plus culturel. Hier inefficace et déculturant, aujourd'hui acculturant, serait-ce que l'accès au bilinguisme s'effectue dans des conditions anormales ? Au reste, dans les années d'après-guerre, c'est ma langue même qui me donnait du fil à retordre, au point même de mettre en doute sa légitimité. Parce que j'étais investi par la société de l'autre et la grande culture française, cela me fit un choc, la première fois, de me faire dire par des anglophones que je ne parlais pas le vrai français de France, puis la même chose par des Français eux-mêmes ! Les fois d'après, je commençai à comprendre de quoi il en retournait. Enfin, nos élites, pour se donner le change, nous accablaient, prétendant que nous parlions mal, avions la bouche molle, manquions de vocabulaire, bref que nous bêlions une langue de sacrures et une sorte de sabir. J'ai mon idée pourquoi les élites canadiennes-françaises en place, presque toutes fédéralistes, conservatrices sinon réactionnaires, tiennent tant à « leur » français international : elles ont le sentiment, elles qui vivent en symbiose, que c'est un équivalent de l'anglais, et elles compensent ! Or, dans leur boursouflure, quelle ironie, elles en viennent à ne parler qu'une langue de calques. Le peuple québécois, lui, a compris qui maintient sa structure de langue dans ses adaptations, ses emprunts et ses *créations*.

Il arrive que le système du bilinguisme dévoile sa violence à sens unique. En 1966, je me cherchais de l'ouvrage et touchais des prestations de l'assurance-chômage. Un jour on me convoque et l'agent de placement, un Canadien français, me fait part d'une offre d'emploi. « Vous savez l'anglais ? me demande-t-il, car la compagnie exige un bilingue et vous devrez travailler en anglais la moitié du temps. — Bien, que je réponds, je me débrouille mais pas assez pour accepter ; de toute façon, je veux travailler en français. — Voyons, qu'il reprend, vous savez bien qu'il faut l'anglais pour travailler, d'après votre dossier vous êtes un gars instruit et qualifié, pourquoi pas vous inscrire dans une école de langues et nous continuerons de vous verser vos prestations en attendant ? » Je lui dis : « C'est pas la question, comprenez-moi bien, ça ne m'intéresse pas de travailler en anglais. — Comme ça, qu'il réplique, vous ne voulez pas travailler ; dans ce cas on peut pas continuer à vous payer vos prestations. » Je réplique à mon tour : « C'est mon droit le plus strict de travailler dans ma langue dans mon pays. — Bon ça va », dit-il, voyant qu'il n'aurait pas le meilleur, l'ayant menacé de porter l'affaire en public. Après l'entrevue, j'étais en varlope ! Non mais c'est pas une forme de coercition, ça ? exercée par la pression socio-économique anglophone ? Cette coercition-là, nos dirigeants trouvent ça normal... et aussi toute une population qui en est victime. Mais, dès qu'il s'agit de coercition pour faire du français la langue officielle, ils ne trouvent pas ça normal. Serait-ce que Bourassa, Clouquier *et al.* sont des colonisés « grand format famille » ?

Nous y sommes : le fédéralisme de force, le bilinguisme de force. Quoi qu'il arrive par la suite dans sa vie, qu'il apprenne l'anglais ou qu'il ne l'apprenne pas, le Canadien français est, dès le premier instant de sa naissance, un bilingue. J'insiste : même s'il n'apprend pas l'anglais, il l'est à son insu ou malgré lui, il l'est de par la structure pan-canadienne, sa communication sociale et son environnement linguistique. Aux termes de la loi de l'A. A. B. N., qui nous tient lieu de Constitution, il est pour ainsi dire *programmé*. C'est inscrit

170

dans sa définition culturelle globale. D'où que, par un glissement de pensée, plusieurs en viennent à croire, parce qu'ils essentialisent l'idéal du bilinguisme comme le fait le système, qu'*être bilingue* est une nature, une fatalité qui leur échoient à la naissance ; ils ne peuvent se concevoir autrement et il leur apparaît que c'est une composante intégrante de leur peuple, pour le meilleur et le pire. Voilà donc le bilingue structurel et collectif : il sait par obligation la même deuxième langue que tout le monde sur son territoire. Cet état de choses pourrait se transformer en une force réelle dans une situation de souveraineté qui créerait d'autres conditions et motivations d'apprentissage de la langue seconde. Pour notre malheur, le bilinguisme dont nous sommes affligés coïncide, comme le note Aquin, avec le bilinguisme international : celui de chacune des autres langues avec l'anglais. Ce phénomène constitue la difficulté de saisir, dans une situation coloniale qui produit déjà de la déculturation, combien le bilinguisme canadian tel qu'il fonctionne est néfaste et encourage l'acculturation. Lorsque j'en fais part à quelqu'un, il me répond quelque chose du genre : « J'ai été partout en Europe et partout les gens parlent anglais. » Il est certes souhaitable qu'un homme parle une deuxième langue, voire plusieurs. Mais celui qui apprend l'anglais dans un pays unilingue, sauf s'il fait partie des cadres supérieurs ou s'il est directeur d'une société multinationale, ne travaille pas huit heures par jour dans cette autre langue, non plus que ses compagnons, et il ne met pas en danger l'existence de son groupe. Son bilinguisme lui sert dans ses rapports avec l'extérieur, il en est un de communication, d'échanges, de culture. Alors qu'au Québec... le bilinguisme en question n'est en réalité que l'unilinguisme de l'autre.

Avant 1960, notre sorte de bilinguisme était encouragé, certes, mais il était présenté comme une solution individuelle. Dans la société d'alors, on le trouvait en périphérie, contigu à la langue québécoise ou sectorialisé. Aujourd'hui, il est partout, diffus et cancéreux. C'est collectivement qu'on nous incite à devenir bilingues, en gagne ! Le bill 63 nous donne même le feu vert pour devenir anglophones : ça va plus vite. On peut avancer que le bilinguisme a été élevé au rang d'idéologie. Il dispose d'une politique officielle à Ottawa. Tu te dois d'être bilingue parce que la nation et le pays entiers le sont maintenant. La mystification est grosse : d'un point de vue structure, je n'ai jamais vu que le tout apprenne collectivement la langue d'une de ses parties, qui est autre. Et ça marche, nous sommes increvables de crédulité : l'esprit mystifié c'est celui qui pense se sauver par des moyens qui sont justement sa perte. Le jour où tous les Canadiens français seront bilingues, tout le monde au Canada saura la même langue, et l'une des deux s'éliminera automatiquement par inutilité et inefficacité. Le bilinguisme canadien n'a jamais été aussi remuant depuis qu'au Québec on parle d'unilinguisme. Il a ses arguments terroristes et coercitifs, il a ses ténors ; écoutez Marchand ou Clouquier : « Nous ne pouvons pas nous passer de l'anglais, nous sommes en Amérique du Nord, nous sommes entourés de 250 millions d'Américains, l'anglais est indispensable, il fait partie de la compétence, la technologie parle anglais », etc. Par ailleurs, nous assistons à un déferlement publicitaire sans précédent nous conditionnant à devenir bilingues. Ecoles, laboratoires, instituts nous inondent de prospectus, de dépliants, d'annonces dans les journaux et les media, de slogans. Jusqu'au ministère de l'Education qui offre des bourses pour l'étude de la langue seconde ! On sait laquelle ! Ce lavage de cerveaux submerge toutes les velléités de nos rois nègres qui continuent de parler de politiques d'incitation et de concertation pour faire du « français la langue prioritaire et de travail ». Ils manifestent ainsi leur indigence et leur incompréhension en matière de langue et de culture, à moins qu'ils ne soient de mauvaise foi, ce que je crois. Qu'est-ce qu'une langue ? « Le langage est une institution collective dont les règles s'imposent aux individus, qui se transmet de façon coercitive de générations en générations depuis qu'il y a des hommes et dont les formes particulières (ou langues) actuelles dérivent sans discontinuité de formes antérieures. » (J. PIAGET, *Le Structuralisme.*)

Si les règles du bilinguisme sont faussées, c'est qu'une situation de diglossie s'est peu à peu installée. Définition : « On donne parfois à diglossie le sens de situation bilingue dans laquelle une des deux langues est de statut socio-économique inférieur. » (*Dictionnaire de linguistique,* Librairie Larousse.) On voit tout de suite que la langue, la nôtre en l'occurrence, renvoie au statut global des Québécois comme peuple, dont la diglossie n'est qu'une conséquence. Seul le politique fonde la pratique et la nécessité d'une langue sur un territoire. Tant que le Québec ne possédera pas les instruments politiques de sa culture et de son destin, la contrainte socio-économique anglophone jouera à toutes fins pratiques ce rôle de coercition et d'unilinguisme. L'anglais demeurera la langue de prestige et de promotion sociale, sa force d'attraction continuera de s'exercer toujours plus au détriment d'une langue québécoise dévalorisée. Exemple : « Parlez anglais — quel que soit votre niveau actuel —, seuls ceux qui sont bilingues sont certains d'acquérir les meilleures situations » (extrait d'un dépliant de l'Institut linguistique provincial inc.). Tout est là, en concentré : la diglossie, la contrainte, la colonisation. Le mouvement des immigrants vient ajouter à cette attraction et nous avons vu que la pression du bilinguisme prend figure d'assaut. Ce qui se passe au Québec dans le moment, ce n'est pas dans la langue québécoise en soi, qui s'abâtardirait ou se désagrégerait, non, la langue québécoise se porte bien, merci. Ce qui se passe, c'est que le sujet parlant est aspiré. Dans ces conditions, un phénomène d'acculturation s'est développé et se propage. Le bill 63 agit comme détonateur un peu partout, même dans des régions québécoises à 98 % : les 25 000 petits Québécois dans les écoles anglaises en témoignent. Les gens, actuellement, ne s'anglicisent donc pas, comme on pourrait le croire, petit à petit, en passant par une phase de dépérissement de leur langue, laquelle deviendrait une mixture puis finalement de l'anglais. Non, les gens passent directement du français à l'anglais, d'eux-mêmes. Voilà le plus grand danger auquel nous ayons à faire face depuis que nous existons comme peuple. Et pendant ce temps-là on se pogne entre nous ; la fausse querelle du joual a parfois toutes les allures d'une opération de diversion. Le problème n'est pas entre nous, mais entre l'anglais et le français. Quand un peuple peut choisir d'être autre, il se nie en tant que peuple, et c'est que quelqu'un d'autre est sur place et à sa place. Pour ceux qui ont compris, nous sommes déjà au-delà du bilinguisme et du choc des langues. Il ne peut y avoir que lutte. La lutte des langues est une lutte à finir, et c'est la lutte de libération nationale du peuple québécois.

Table

ACHEVÉ D'IMPRIMER EN AVRIL 1981
SUR LES PRESSES DE L'IMPRIMERIE
CORBIÈRE ET JUGAIN A ALENÇON (ORNE)
PREMIER TIRAGE : 5 000 EXEMPLAIRES
DÉPÔT LÉGAL : 2ᵉ TRIMESTRE 1981
ISBN 2-7071-1231-3